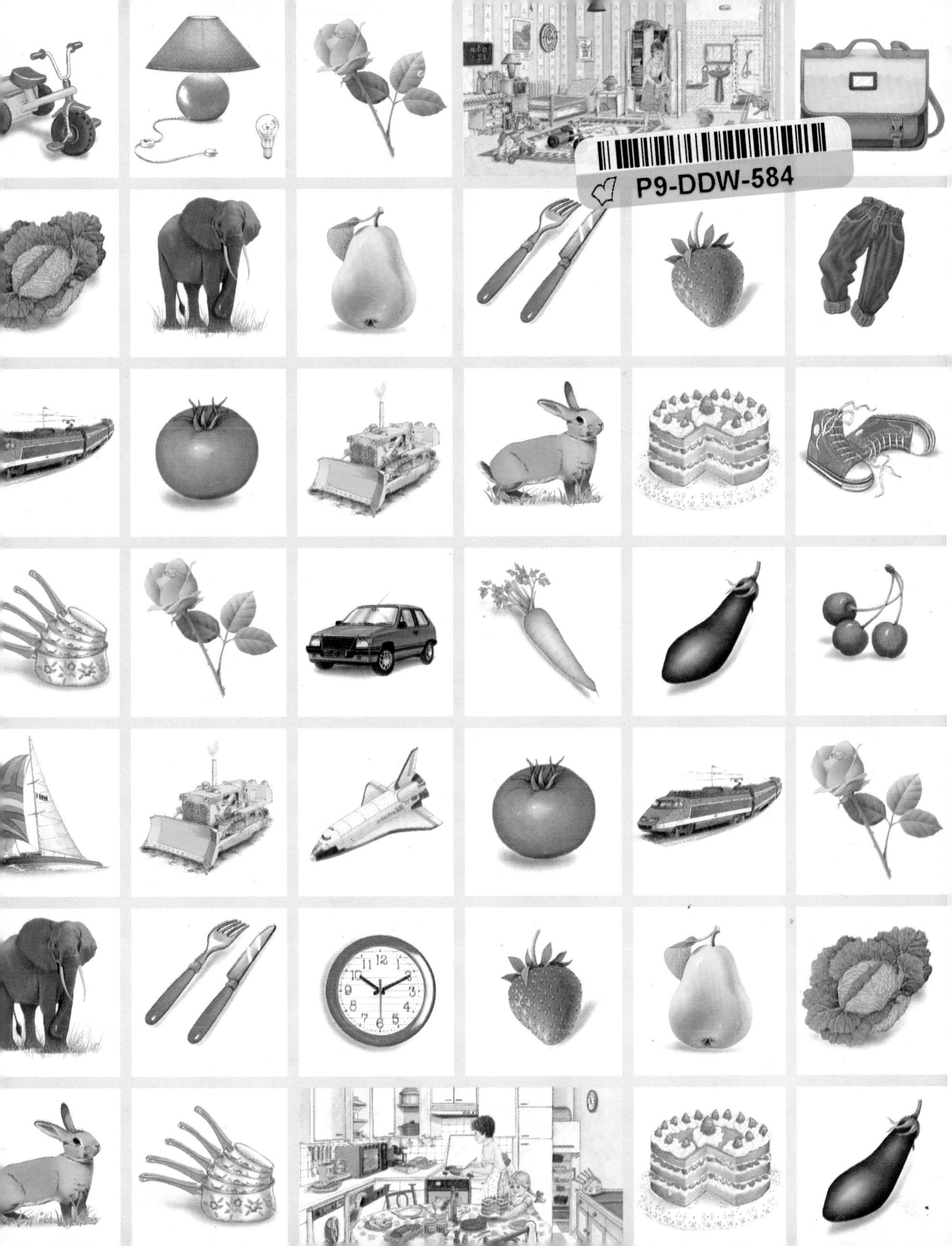

L'imagerie Français Anglais

Images de :

Yvette Barbetti – Christian Galinet – Héliadore
Bruno Le Sourd – Michel Loppé –
Frankie Merlier – Geneviève Monjaret – Aline Riquier
Catherine Siegel

Illustration des doubles pages :
Philip Horton - Tricia Lengyel

ÉDITIONS FLEURUS, 11, rue Duguay-Trouin 75006 PARIS

Que met-on sur le pain pour le goûter ?

Que fait-on avec des fruits et du sucre ?

butter

du beurre

sugar lumps

des morceaux de sucre

a jar of jam

un pot de confiture

du chocolat

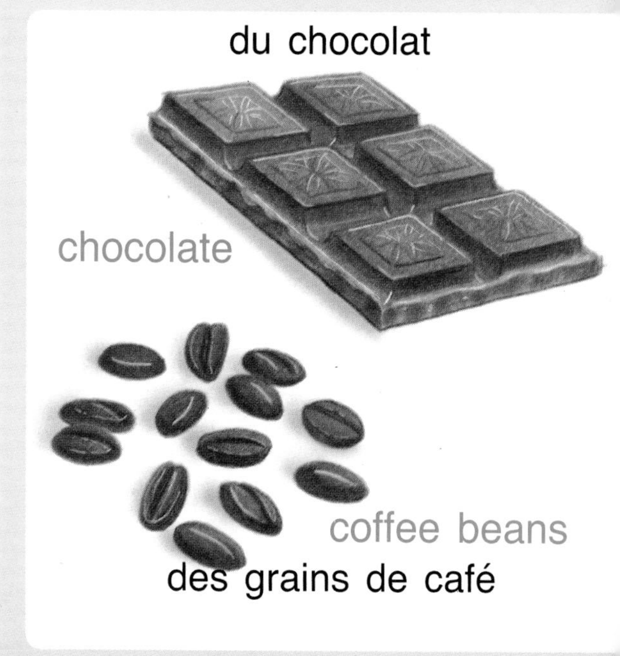

chocolate

coffee beans

des grains de café

Qu'est-ce qui fait mal aux dents si on en mange trop ?

Que mange-t-on avec une petite cuillère ?

a cream cheese
un petit-suisse

a yoghurt
un yaourt

an egg
un œuf

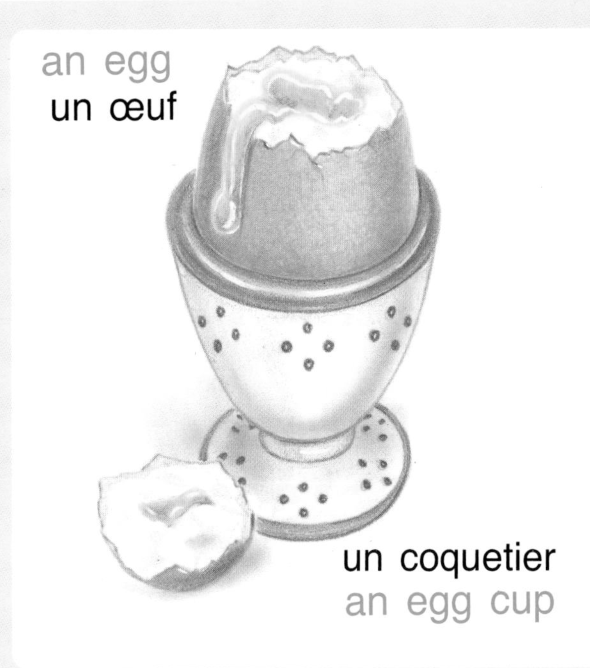

un coquetier
an egg cup

des sucettes
lollipops

sweets
des bonbons

salami
un saucisson

Que trouve-t-on chez
le charcutier ?

Que trouve-t-on chez
le boulanger ?

pâté

un pâté

bread

du pain

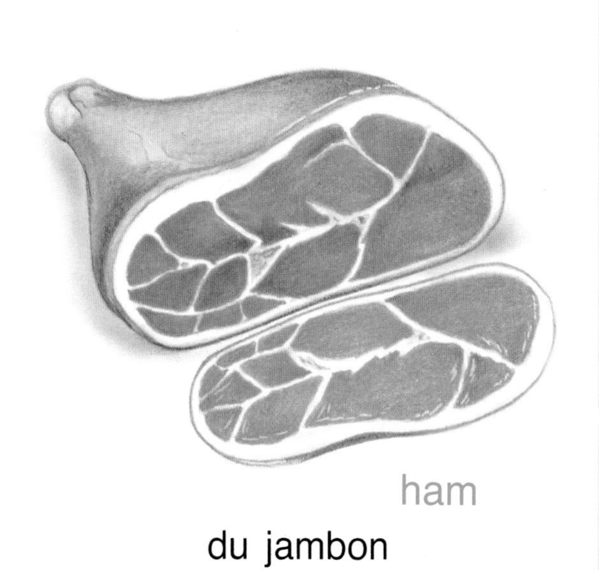

ham

du jambon

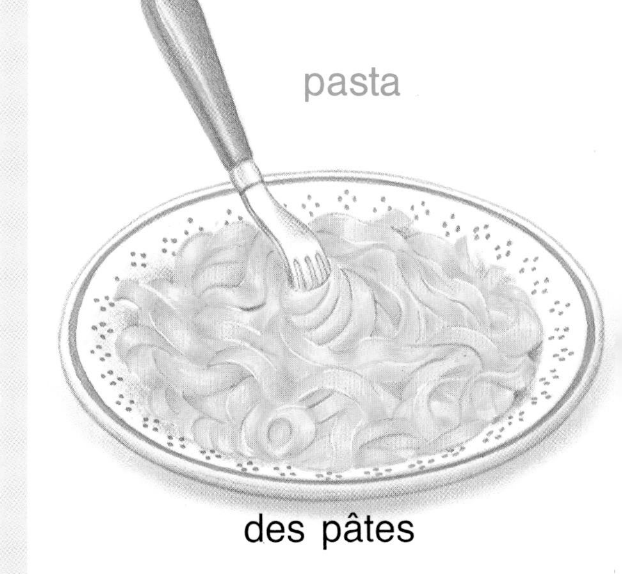

pasta

des pâtes

Que peut-on faire avec des pommes de terre ?

Montre deux coquillages que l'on trouve au bord de la mer.

mashed potato

de la purée

fish

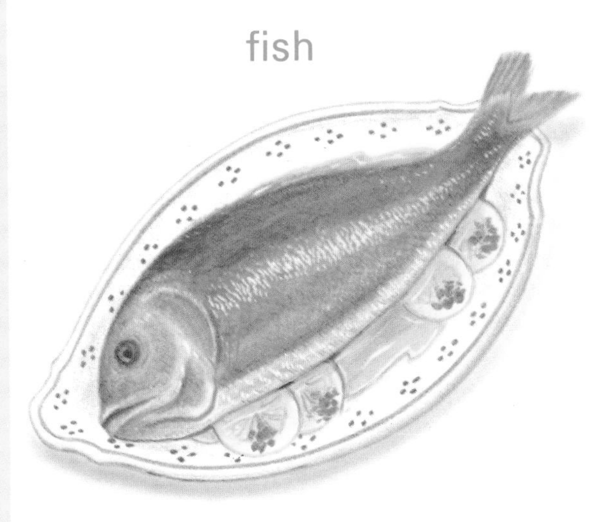

un poisson

chips

des frites

an oyster

une huître

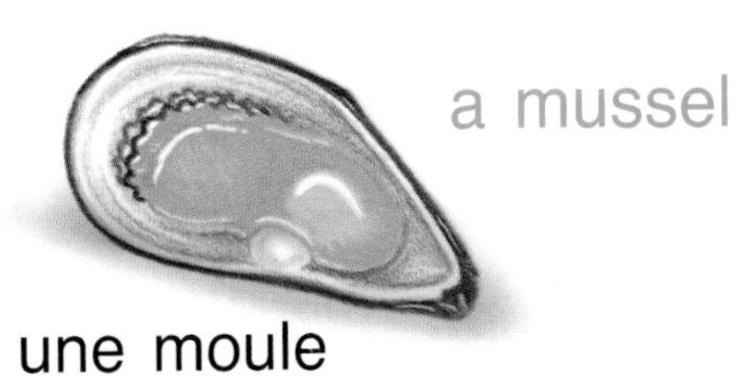

a mussel

une moule

Que trouve-t-on chez le boucher ?

Que mange-t-on avec du sucre et de la confiture ?

meat

de la viande

cheese

des fromages

chicken

un poulet

des crêpes

pancakes

waffles

des gaufres

Qu'est-ce qui est froid et délicieux ?

Quelle pâtisserie se fait avec des fruits ?

an ice cream

une glace

bread and jam

une tartine

a biscuit

un biscuit

a tart

une tarte

Que cueille-t-on sur un pied de vigne ?

Quels fruits peut-on presser pour faire du jus ?

a cake

un gâteau

a lemon

un citron

grapes

du raisin

an orange

une orange

Quel est le fruit du poirier, du pêcher, du pommier, du prunier ?

Avec le jus de quel fruit fait-on le cidre ?

a pear

une poire

a peach

une pêche

an apple

une pomme

plums

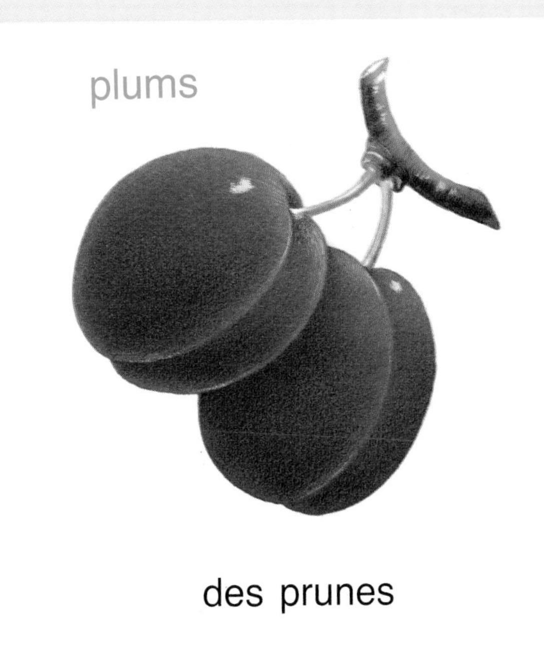

des prunes

Quel fruit pousse sur le mandarinier ?

Quel fruit ne pousse pas sur un arbre ?

an apricot

un abricot

un melon

a melon

a tangerine

une mandarine

a grapefruit

un pamplemousse

Quels fruits poussent dans les pays très chauds ?

Quel fruit sauvage peut-on trouver au bord des chemins ?

un ananas

des mûres

une banane

des framboises

Dans quel fruit trouve-t-on un noyau ?

Quel est le fruit préféré des écureuils ?

des cerises

des groseilles

une fraise

des noisettes

Quel fruit a une coquille très dure ?

Quel légume peut se manger avec les doigts ?

une noix

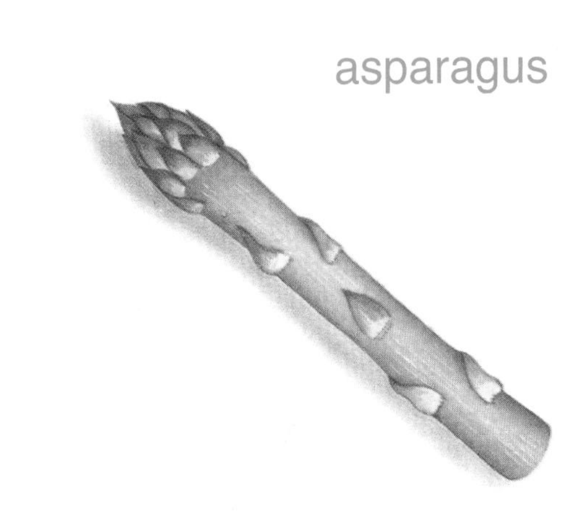

une asperge

des olives

un poireau

Quel légume du jardin est violet ?

Quel légume coupe-t-on en rondelles pour le manger ?

a courgette

une courgette

a red pepper

un poivron

an aubergine

une aubergine

a cucumber

un concombre

Avec quel légume fait-on les frites ?

De quel légume mange-t-on les feuilles ?

a potato

une pomme de terre

a tomato

une tomate

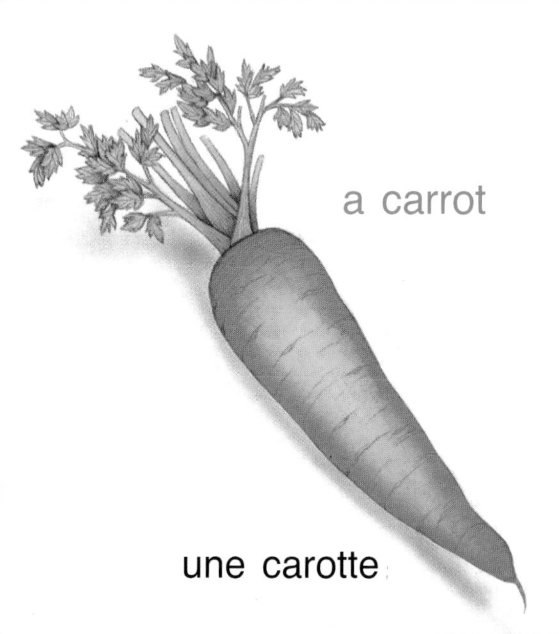

a carrot

une carotte

an artichoke

un artichaut

Quel légume a des grains jaunes ?

Quel légume met-on dans un bocal avec du vinaigre ?

corn on the cob

un épi de maïs

garden peas

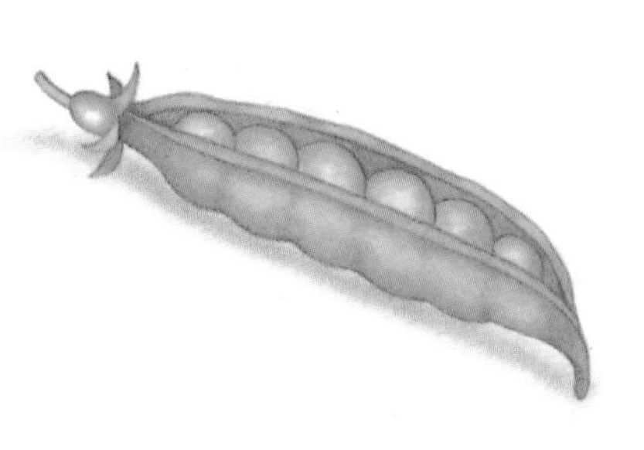

des petits pois

a french bean

un haricot vert

a gherkin

un cornichon

Quels légumes ont des grosses feuilles vertes ?

Quel légume est petit, rose et blanc ?

a cauliflower

un chou-fleur

a lettuce

une salade

un chou

a cabbage

a radish

un radis

Dans le jardin
Amusons-nous à retrouver
le plus de choses possible

Qu'est-ce qui fait pleurer quand on l'épluche ?

Qu'est-ce qui peut pousser dans une champignonnière ou dans les bois ?

un oignon

du persil

de l'ail

un champignon

Sur quoi s'amuse-t-on à glisser ?

Sur quoi trouve-t-on un trapèze, une balançoire et des anneaux ?

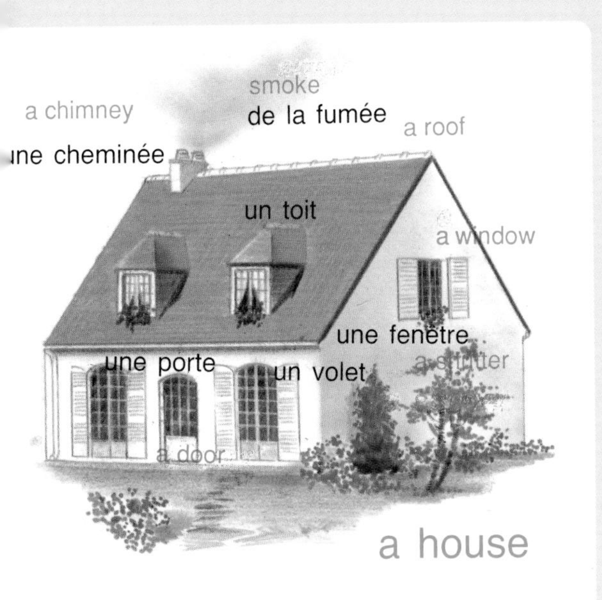

une maison

un portique

un toboggan

un banc

Que peut-on utiliser pour attraper des objets placés trop haut ?

Dans la cuisine, où range-t-on la vaisselle ?

a staircase

un escalier

a cupboard

un placard

a ladder

une échelle

a stepladder

un escabeau

Pour conserver les aliments au frais, dans quoi doit-on les mettre ?

Dans quoi lave-t-on le linge de toute la famille ?

un aspirateur

a vacuum cleaner

un lave-linge a washing machine

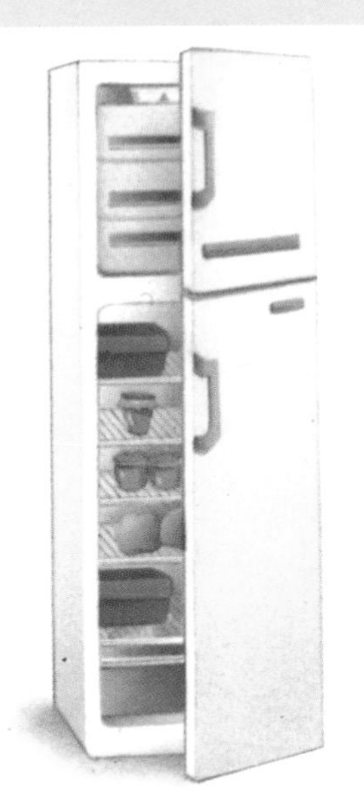

un réfrigérateur a fridge

a dishwasher

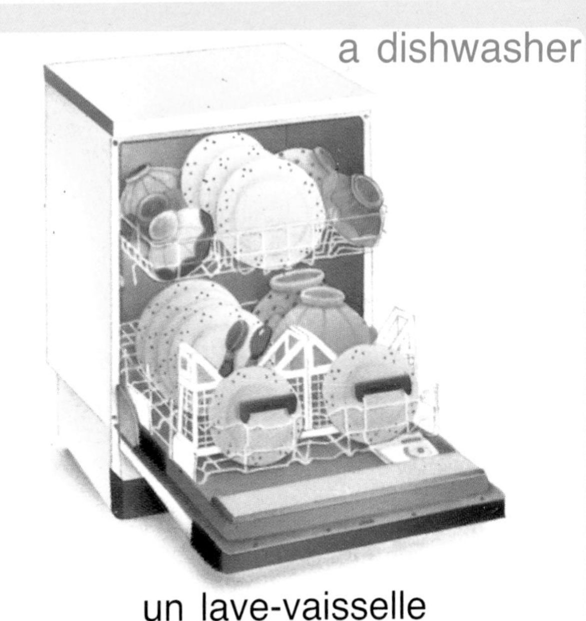

un lave-vaisselle

Dans quoi fait-on cuire de bons gâteaux ?

Dans quoi fait-on le café du petit déjeuner ?

a cooker

an oven

un four

une cuisinière

a food processor

un robot ménager

a sink

un évier

a coffee maker

une cafetière électrique

Avec quoi pèse-t-on la farine pour faire un gros gâteau ?

Dans quoi fait-on cuire le bifteck ?

a toaster

un grille-pain

pans

des casseroles

weighing scales

une balance

a frying pan

une poêle

Qu'est-ce qui donne de jolies formes aux gâteaux ?

Dans quoi fait-on chauffer les aliments surgelés ?

a casserole

une cocotte

a pressure cooker

une Cocotte-minute

cake tins

des moules à gâteaux

a microwave oven

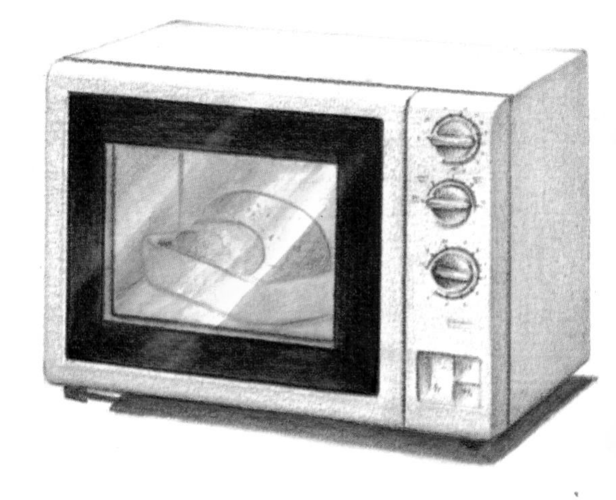

un four à micro-ondes

Que pose-t-on sur la table quand on met le couvert ?

Dans quoi met-on la sauce pour l'apporter à table ?

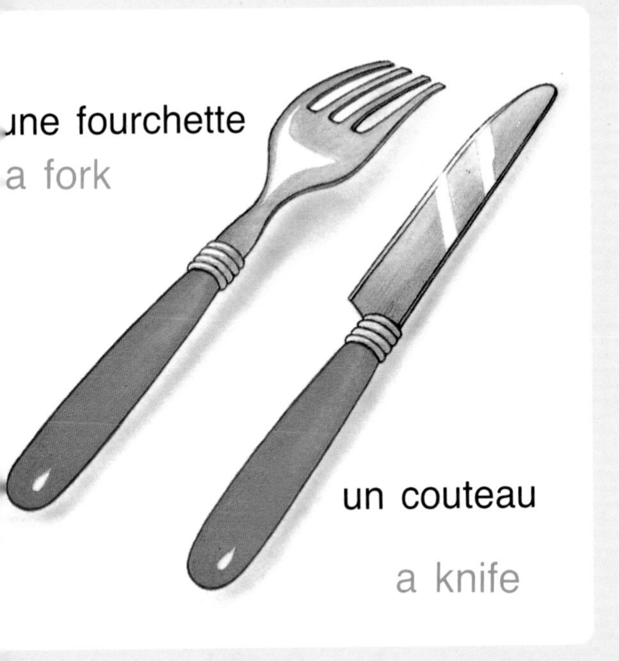

Dans quoi sert-on la soupe et qu'utilise-t-on pour la verser dans les assiettes ?

Dans quoi prend-on son petit déjeuner ?

a salad bowl

un saladier

un bol

a bowl

a cup

une tasse

a ladle

une louche

une soupière

a soup tureen

a tea pot

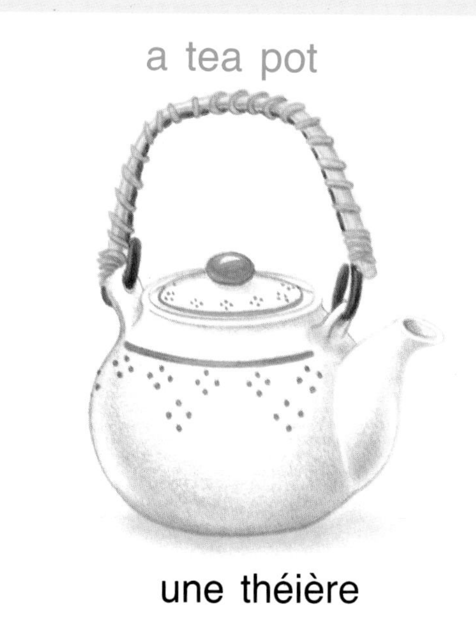

une théière

Dans quoi maman transporte-t-elle les commissions ?

Dans quoi met-on le poivre et le sel ?

a basket

un panier

a bottle

une bouteille

a strainer

une passoire

a pepper mill

a salt cellar

un moulin à poivre

une salière

Dans la cuisine

Amusons-nous à retrouver le plus de choses possible

Avec quoi ouvre-t-on une bouteille ?

Qu'utilise-t-on pour allumer le gaz ?

un entonnoir

a funnel

a ball of string

une pelote de ficelle

un bouchon

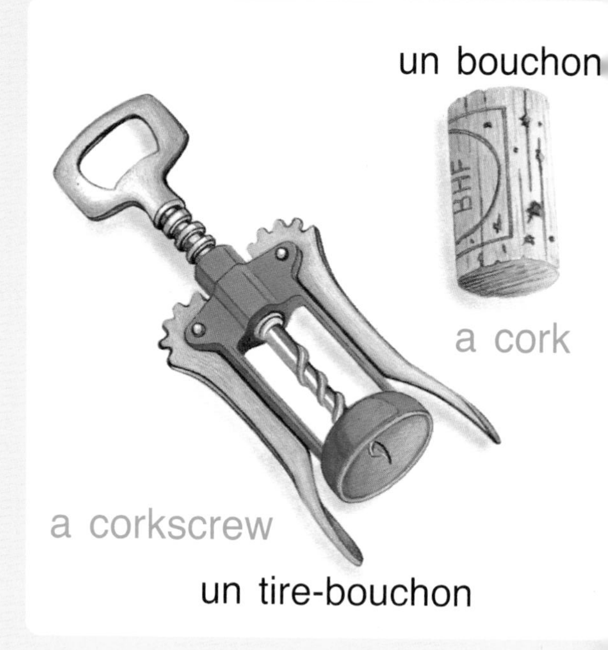

a cork

a corkscrew

un tire-bouchon

a bottle opener

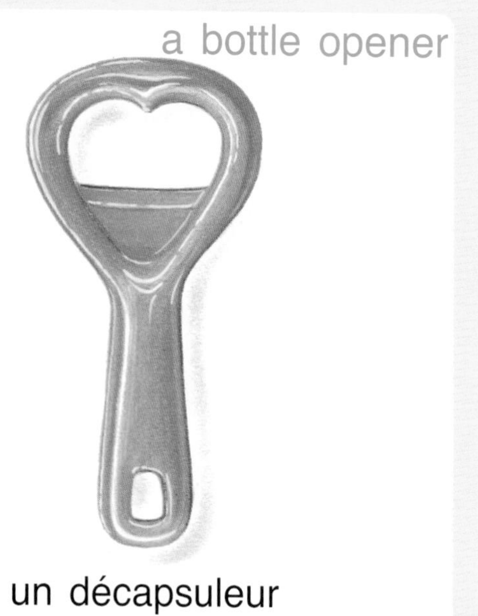

un décapsuleur

a gas lighter

un allume-gaz

une allumette

a match

Que faut-il pour repasser le linge ?

Dans quoi jette-t-on les ordures ?

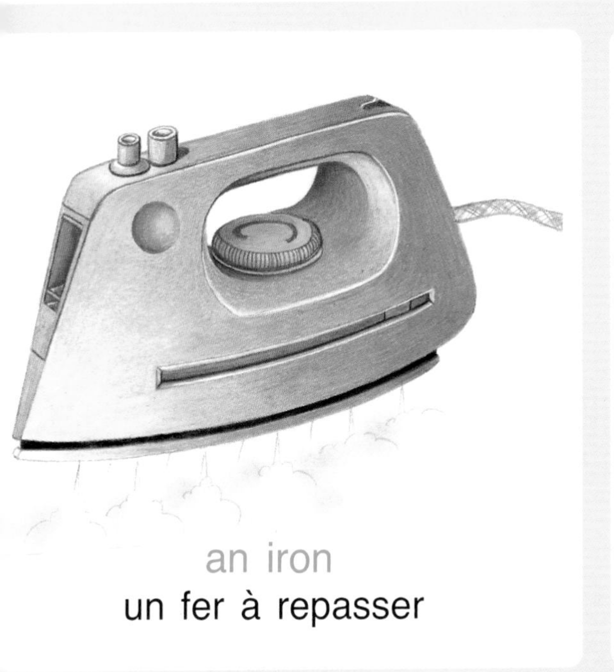

an iron
un fer à repasser

a broom
un balai

une pelle
a dustpan

an ironing board
une table à repasser

a bin
une poubelle

Que met-on sur la table pour faire joli ?

Avec quoi attache-t-on le ling
pour le faire sécher ?

table napkins

des serviettes de table

une nappe

a table cloth

a basin

une cuvette

a tea-towel

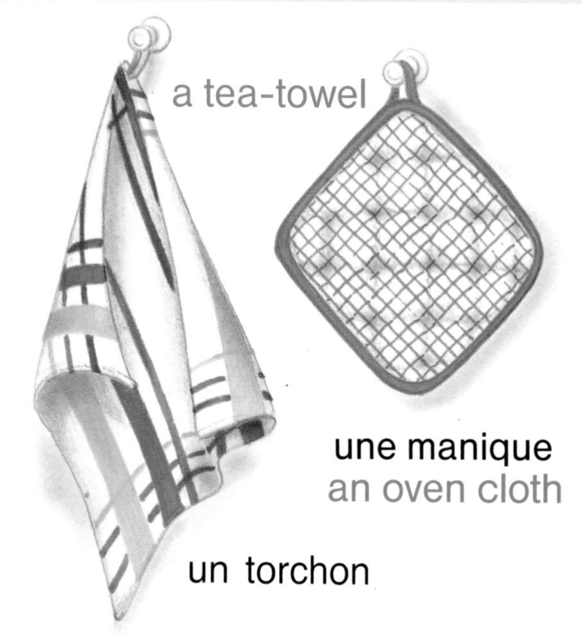

une manique
an oven cloth

un torchon

a clothes peg

une pince à linge

Qu'est-ce qui indique l'heure ?

Sur quoi peut-on s'asseoir ?

a clock

une pendule

a chair

une chaise

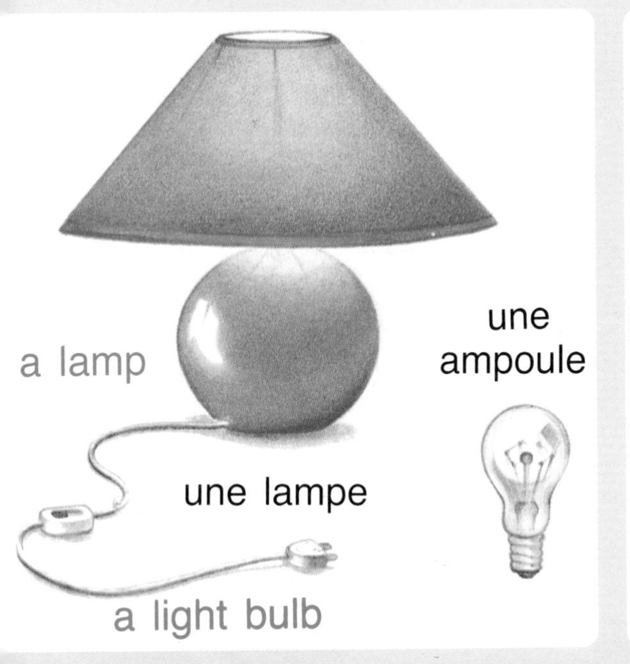

a lamp

une lampe

une ampoule

a light bulb

a stool

un tabouret

Dans quel meuble range-t-on les livres ?

Où peut-on s'asseoir pour se reposer ?

a table

une table

an armchair

un fauteuil

bookshelves

une bibliothèque

a sofa

un canapé

Qu'est-ce qui donne de la chaleur dans la maison ?

Dans quoi range-t-on les jouets ?

a radiator

un radiateur

a chest of drawers

une commode

a rug

un tapis

a toy box

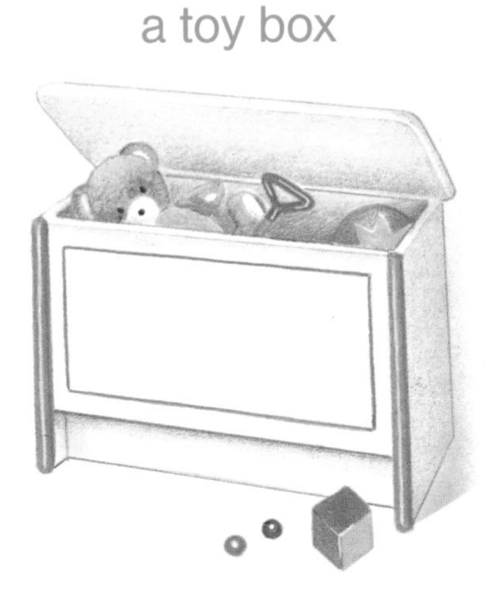

un coffre à jouets

Que faut-il dans un lit pour bien dormir ?

Dans quel meuble range-t-on les vêtements ?

a pillow
un oreiller

a duvet
une couette

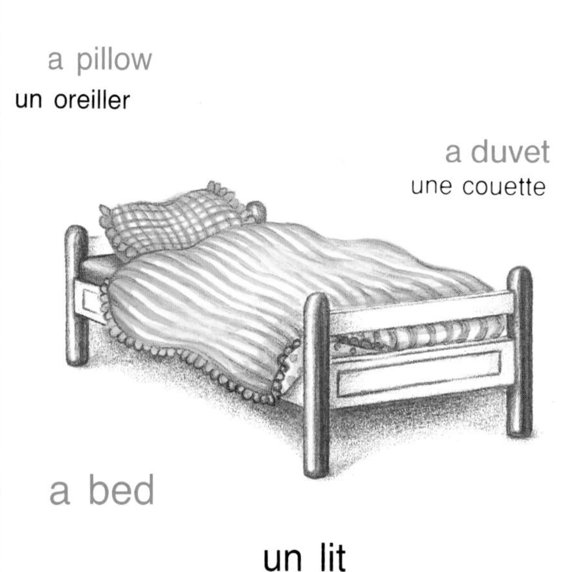

a bed

un lit

une armoire

a wardrobe

a bedside table

une table de chevet

a desk

un bureau

Sur quoi met-on bébé pour qu'il fasse pipi ?

Qu'utilise-t-on pour se coiffer ?

un cintre

a clothes hanger

une brosse à habits

a clothes brush

un gant de toilette

a flannel

a towel

une serviette de toilette

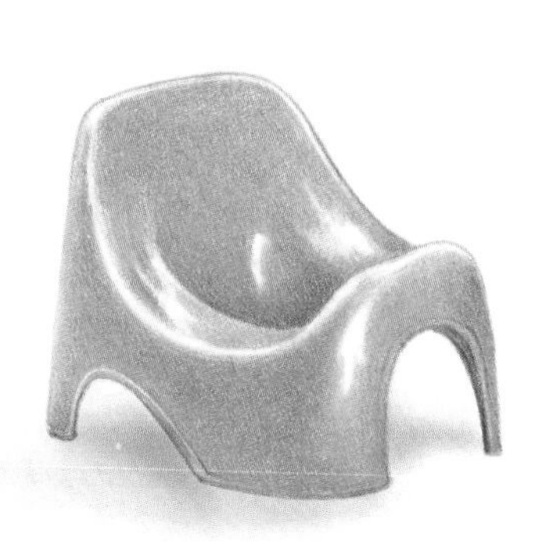

a potty

un pot de chambre de bébé

une brosse à cheveux

a hairbrush

a comb

un peigne

Avec quoi se lave-t-on les dents tous les matins ?

Qu'utilise-t-on pour faire la toilette ?

a nailbrush

une brosse à ongles

a bar of soap

une savonnette

toothpaste

un tube de dentifrice

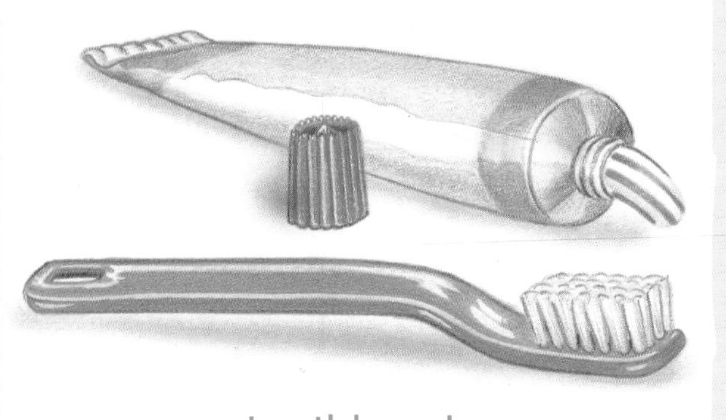

a toothbrush

une brosse à dents

hair slides

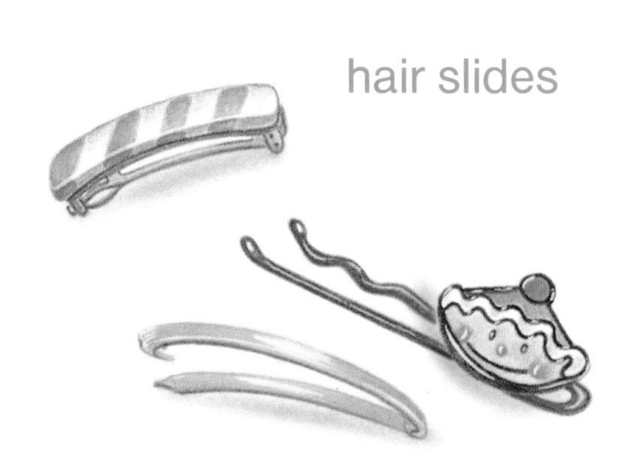

des barrettes

Qu'est-ce qui mousse beaucoup quand on lave les cheveux ?

Avec quoi prend-on la température quand on est malade ?

shampoo

du shampooing

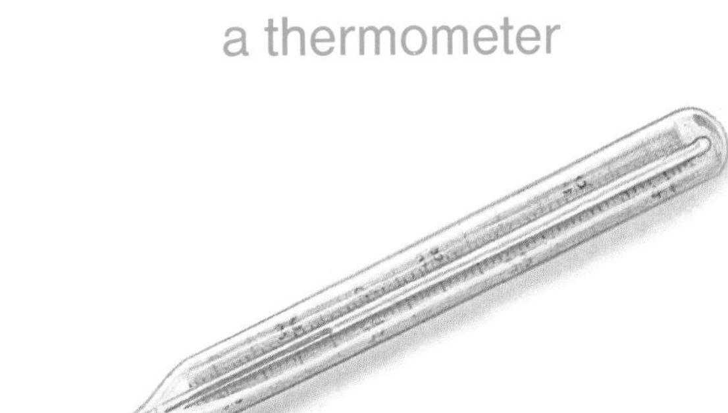

a thermometer

un thermomètre médical

an electric razor

un rasoir électrique

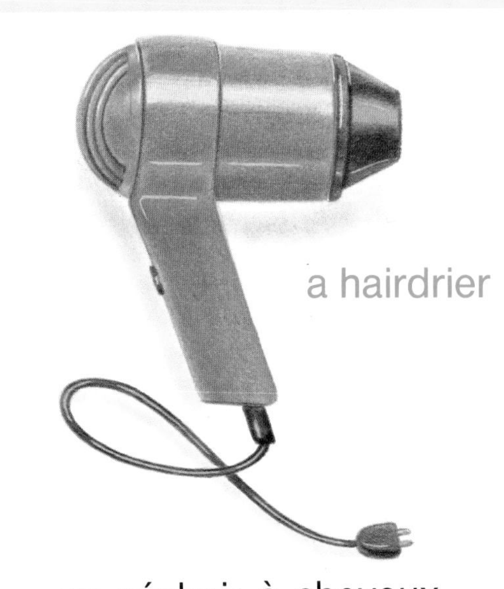

a hairdrier

un séchoir à cheveux

Où range-t-on les affaires de toilette ?

Dans quoi prend-on un bain ?

a bathroom cabinet

une armoire de toilette

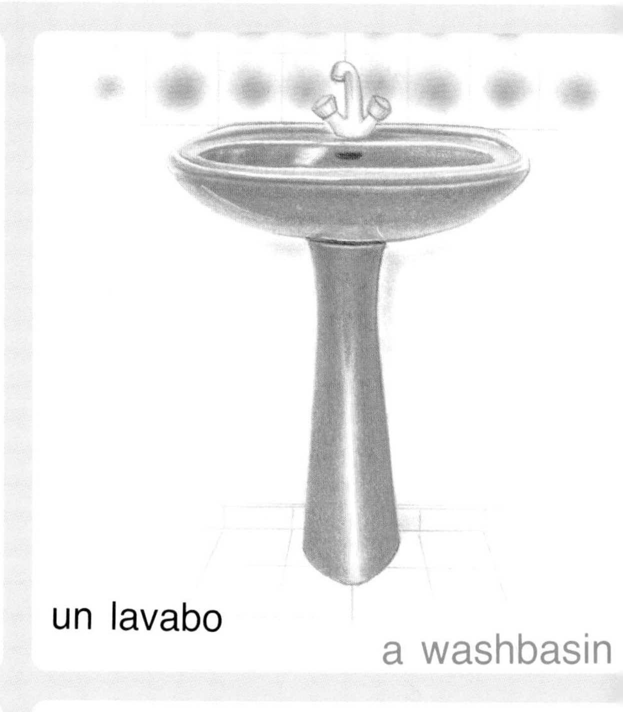

un lavabo

a washbasin

a clothes drier

un séchoir

a bath

une baignoire

Que trouve-t-on dans une salle de bains ?

Que porte-t-on lorsque l'on ne voit pas bien clair ?

a toilet

une cuvette de w.-c.

a pair of glasses

une paire de lunettes

une douche

a shower

an umbrella

un parapluie

Dans la chambre

Amusons-nous à retrouver
le plus de choses possible

Que peut-on allumer avec un briquet ?

Qu'est-ce qui indique l'heure
que l'on porte au poignet ?

a cigar

un cigare

une cigarette

a cigarette

a pipe

une pipe

a lighter

un briquet

a watch

une montre

Dans quoi peut-on lire de belles histoires ?

Dans quoi met-on une lettre avant de la poster ?

a newspaper

un journal

a torch

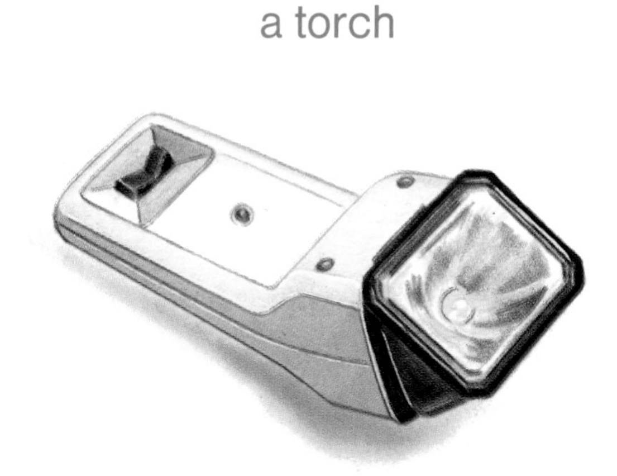

une lampe de poche

a book

un livre

a stamp

un timbre

an envelope

une enveloppe

Qu'est-ce qui sert à ouvrir ou à fermer les serrures des portes ?

Qu'est-ce qui sonne et qui permet de parler à quelqu'un qui est loin ?

des clés

un tableau

un vase

a telephone

un téléphone

Qu'est-ce qui sonne le matin pour nous réveiller à l'heure ?

Dans quoi met-on les vêtements pour partir en voyage ?

an alarm clock

un réveil

un aquarium

une cage

a suitcase

une valise

Dans quoi peut-on emporter de l'eau pour boire en promenade ?

Quel est le jouet préféré des petites filles ?

une gourde

a water bottle

a doll

une poupée

bricks

des cubes

un ours en peluche

a teddy bea

Sur quoi peut-on jouer au cow-boy ?

Sur quel jouet peut-on apprendre à pédaler ?

a horse on wheels

un cheval à roulettes

a tricycle

un tricycle

a scooter

une trottinette

glove puppets

des marionnettes

Avec quoi fait-on tomber les quilles ?

Que met-on à ses pieds pour aller vite ?

une boule

a ball

des quilles

skittles

roller skates

des patins à roulettes

marbles

des billes

darts

un jeu de fléchettes

Qu'utilise-t-on pour donner à manger à la poupée ?

Quel jeu est fait d'une image découpée en morceaux ?

a ball

un ballon

a jigsaw puzzle

un puzzle

a doll's dinner service

une dînette

a picture book

un album

Sur quoi trouve-t-on un carreau, un trèfle, un cœur, un pique ?

Qu'est-ce que l'on fait voler dans le ciel quand il y a du vent ?

playing cards

des cartes à jouer

a bucket

un seau

a spade

une pelle

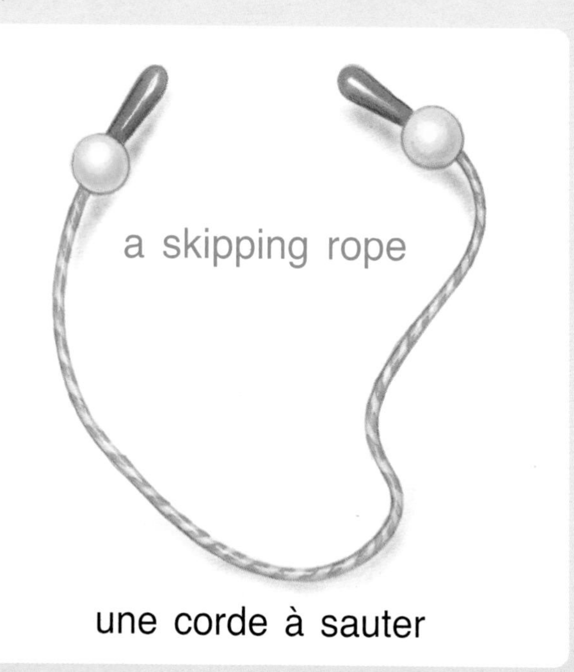

a skipping rope

une corde à sauter

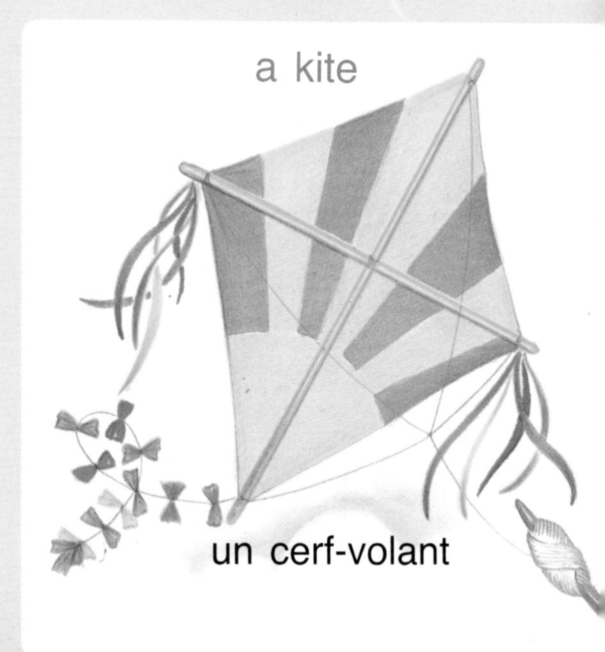

a kite

un cerf-volant

Dans quoi met-on ses affaires pour aller à l'école ?

Avec quoi fait-on de beaux dessins ?

a satchel

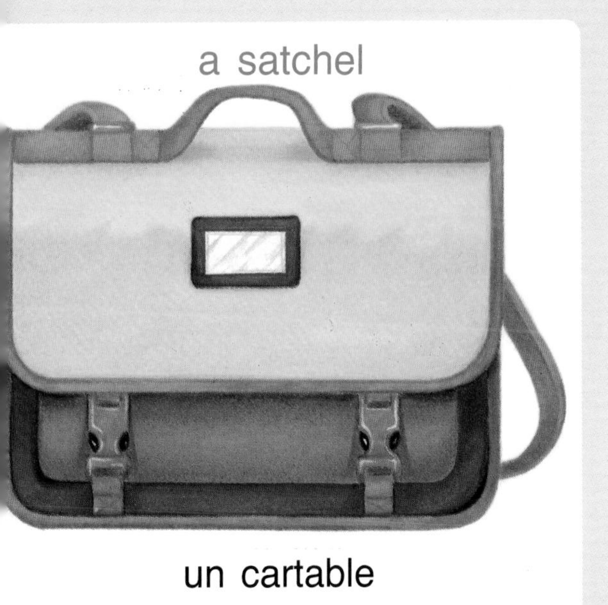

un cartable

a pencil

un crayon

a pencil case

une trousse

coloured pencils

des crayons de couleur

Avec quoi peut-on mesurer et tirer des traits ?

Qu'est-ce qui permet d'efface le dessin sur le papier ?

a felt tip pen

un crayon-feutre

a rubber

une gomme

a ruler

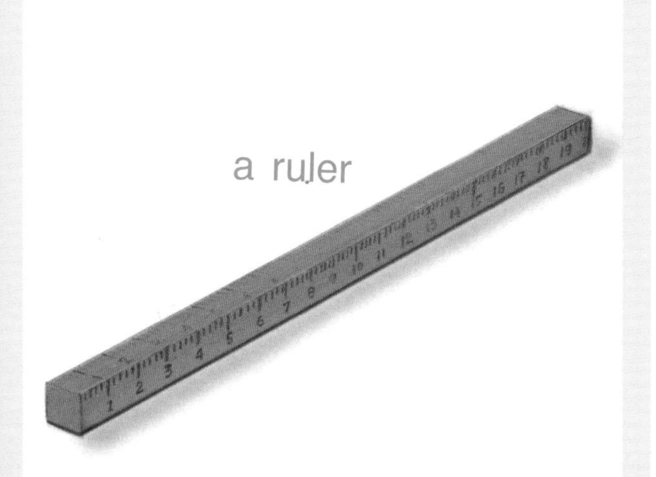

une règle

a pencil sharpener

un taille-crayon

Avec quoi écrit-on sur l'ardoise ?

Que faut-il pour peindre un beau dessin en couleurs ?

a slate

une ardoise

un cahier an exercise book

une éponge
a sponge

une craie
chalk

a paint brush
un pinceau

a paint box
une boîte de peinture

Qu'est-ce qui grossit les objets pour permettre de mieux les voir ?

Dans quoi promène-t-on les petits enfants ?

a magnifying glass

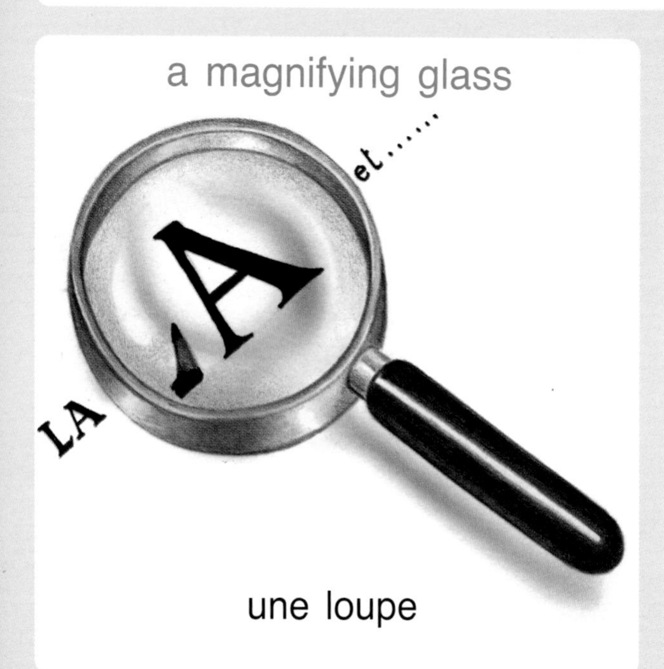

une loupe

a playpen

un parc

a fountain pen

un stylo-plume

a buggy

une poussette

Dans quoi promène-t-on les bébés quand ils sont tout petits ?

Dans quoi assoit-on bébé pour lui donner à manger ?

a pram

un landau

a cot

un lit de bébé

a carrycot

un couffin

a baby chair

un relax

Dans quoi verse-t-on le lait pour donner à manger au bébé ?

Que met-on aux bébés, plusieurs fois par jour, pour qu'ils soient bien au sec ?

a Mobile

un mobile

a nappy

une couche

a baby's bottle

un biberon

a baby's vest

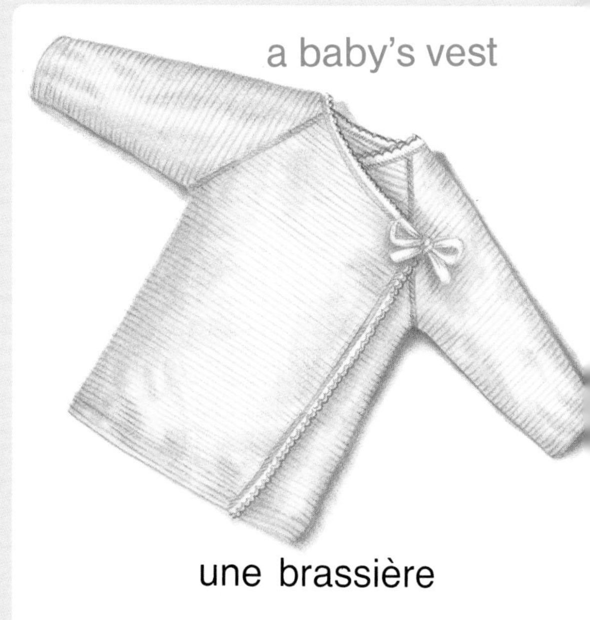

une brassière

Que met-on au bébé pour protéger ses vêtements, quand il mange ?

Que portent les filles la nuit pour dormir ?

a bib

une serviette de bébé

bootees

des chaussons de bébé

a sleeping suit

un pyjama de bébé

a nightdress

une chemise de nuit

Que portent les garçons pour dormir ?

Quelle est la couleur de la robe ?

a dressing gown

une robe de chambre

a dress

une robe

pyjamas

un pyjama

un pantalon

a pair of trousers

Que porte-t-on pour faire du sport ?

En hiver, quand il fait froid, que met-on pour sortir ?

a skirt

une jupe

a coat

un manteau

dungarees

une salopette

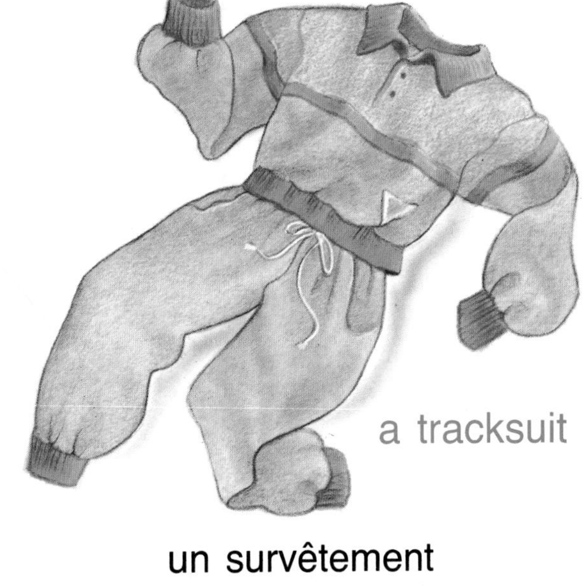

a tracksuit

un survêtement

S'il fait frais, que met-on par-dessus sa chemise ?

Aux sports d'hiver, sous la neige, que met-on pour avoir bien chaud ?

a jumper

un pull-over

a jacket

un blouson

a cardigan

un gilet

an anorak

un anorak

Que portent les petites filles sous leur jupe et les petits garçons sous leur pantalon ?

A la piscine ou au bord de la mer, que porte-t-on pour se baigner ?

panties

une culotte

shorts

un short

underpants

un slip

a swimsuit

un maillot de bains

Quand il pleut, que porte-t-on pour ne pas être mouillé ?

Qu'enfile-t-on à ses pieds ava
de mettre ses chaussures ?

a teeshirt

un tee-shirt

a raincoat

un imperméable

a shirt

une chemise

socks

des chaussettes

Que met-on sur sa tête et autour de son cou quand il fait froid ?

Que met-on à ses mains pour se protéger du froid ?

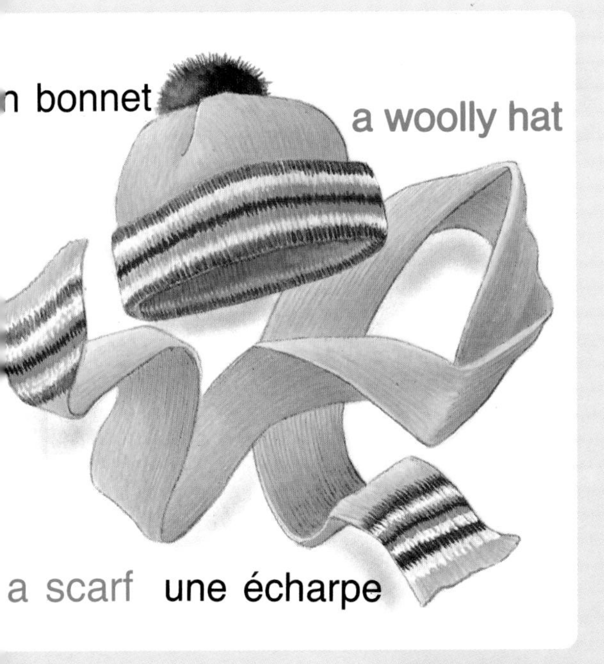

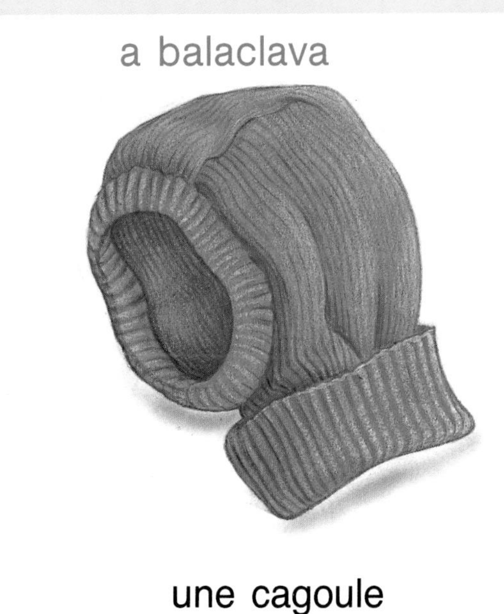

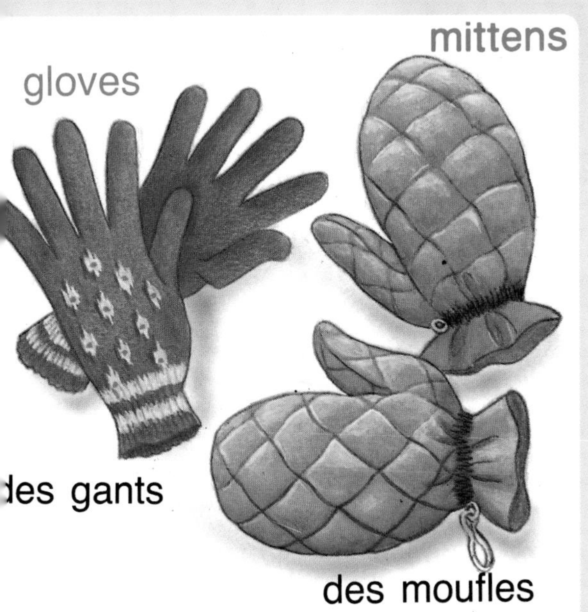

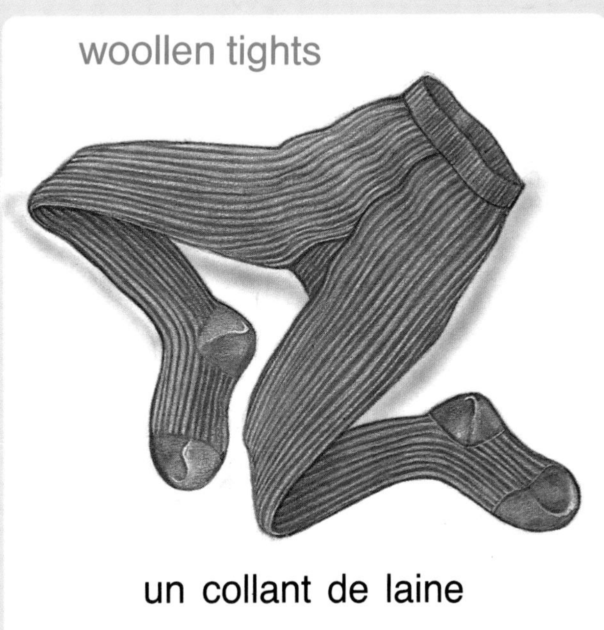

Que met-on à ses pieds quand on est dans la maison ?

S'il pleut, que met-on à ses pieds pour marcher dans les flaques d'eau ?

baseball boots

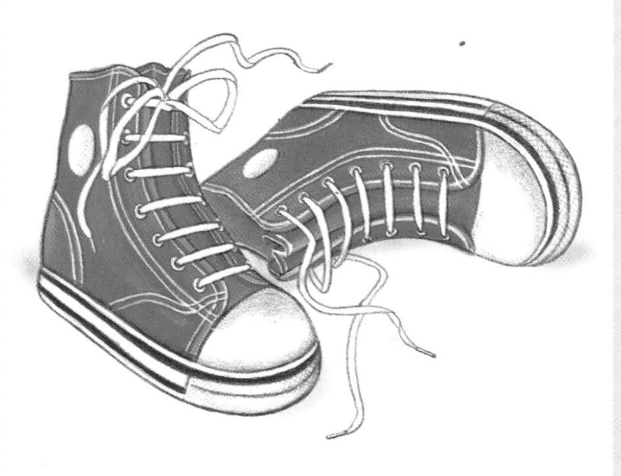

des baskets

boots

des bottes

slippers

des chaussons

shoes

des chaussures

Pour bien tenir le pantalon, que porte-t-on ?

Qu'emporte-t-on dans sa poche quand on est enrhumé ?

a baseball cap

une casquette

a handkerchief

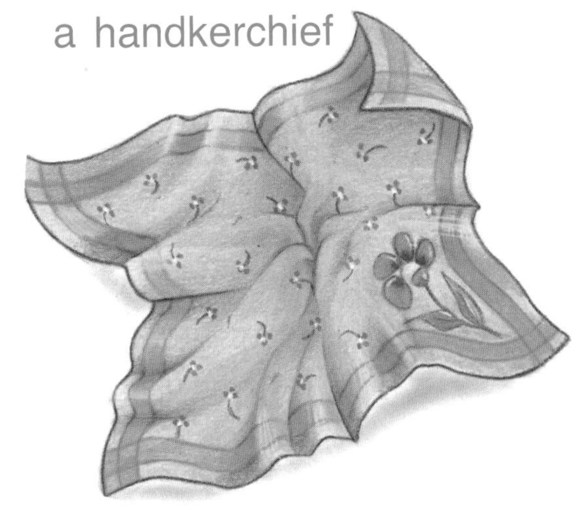

un mouchoir

braces

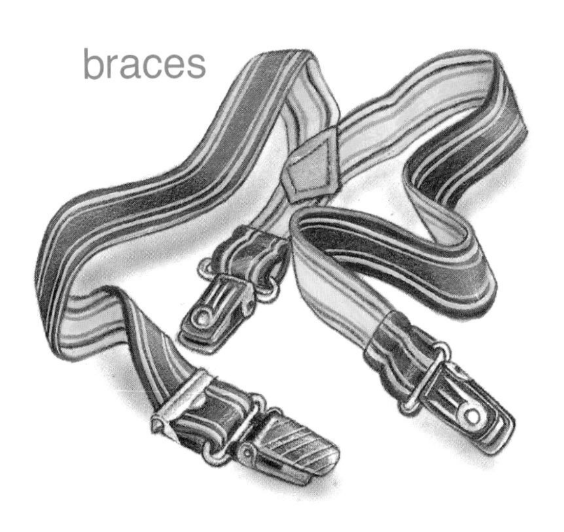

des bretelles

a belt

une ceinture

Dans le parc

Amusons-nous à retrouver le plus de choses possible

Quel bijou porte-t-on autour du cou ?

Que met-on dans le magnétophone pour écouter de la musique ?

a necklace

un collier

earrings

des boucles d'oreilles

a wedding ring

a ring

une alliance

une bague

bracelets

des bracelets

a tape

une cassette

Que peut-on emporter avec soi pour écouter de la musique tout en se promenant ?

Dans quel appareil met-on les cassettes pour entendre de la musique ?

a record

un disque

a compact disc

un disque laser

a music center

une chaîne hi-fi

a walkman

un baladeur

a radio cassette player

une radiocassette

Avec quel appareil peut-on
filmer de belles choses ?

Pour faire des photos, que doi
on utiliser ?

a camcorder

une caméra

a camera

un appareil-photo

a video recorder

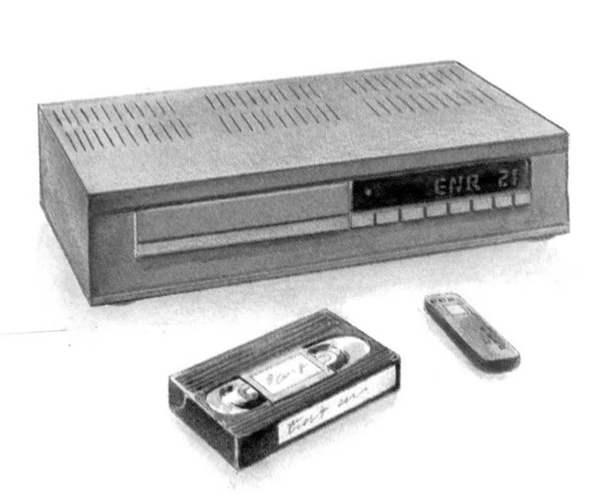

un magnétoscope

a computer

un ordinateur

Grâce à quel appareil peut-on voir les dessins animés ?

Quand on ne sait pas nager, que doit-on prendre pour aller dans l'eau ?

a typewriter

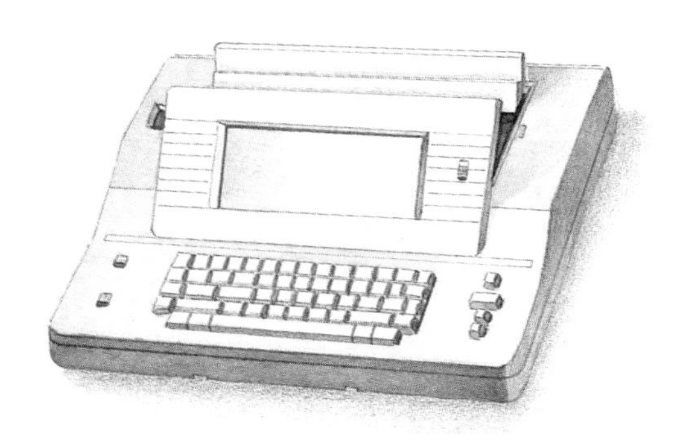

une machine à écrire

a beach umbrella

un parasol

a televison set

un poste de télévision

a rubber ring

une bouée

Que met-on à ses pieds pour glisser sur la neige ? Et sur la glace ?

Que prend-on pour monter tout en haut de la montagne sans marcher ?

ski sticks

des bâtons de ski

a pair of skis

des skis

a sledge

une luge

a cable-car

un téléphérique

ice skates

des patins

Qu'utilise-t-on pour jouer au tennis ?

Avec quoi pêche-t-on les poissons dans la rivière ?

des raquettes de ping-pong

ping pong bats

une balle de ping-pong

ping-pong ball

a tent

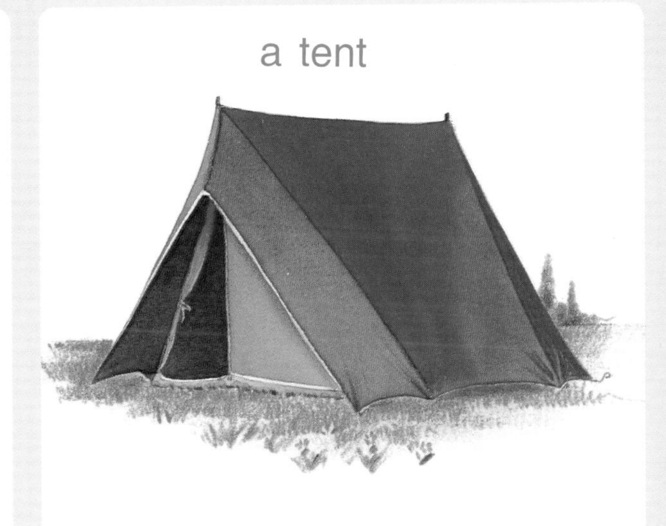

une tente de camping

a tennis ball

une balle de tennis

a tennis racket

une raquette de tennis

a fishing rod

une canne à pêche

Qu'est-ce qui avance sur l'eau grâce à la force du vent ?

Sur quels bateaux se déplace-t-on avec des rames ?

a windsurfer

une planche à voile

a rubber dinghy

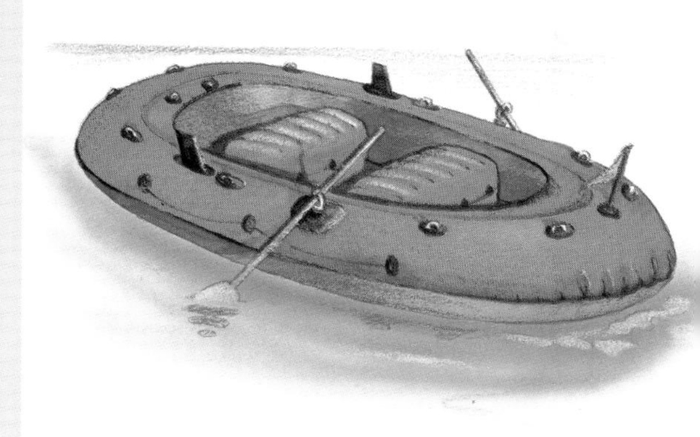

un canot pneumatique

a sailing boat

un voilier

oars

des rames

a rowing boat

une barque

Grâce à quoi peut-on voler dans les airs comme un oiseau ?

Quand on veut voir quelque chose qui est très loin, que doit-on utiliser ?

a parachute

un parachute

a rucksack

un sac à dos

an hang glider

un delta-plane

binoculars

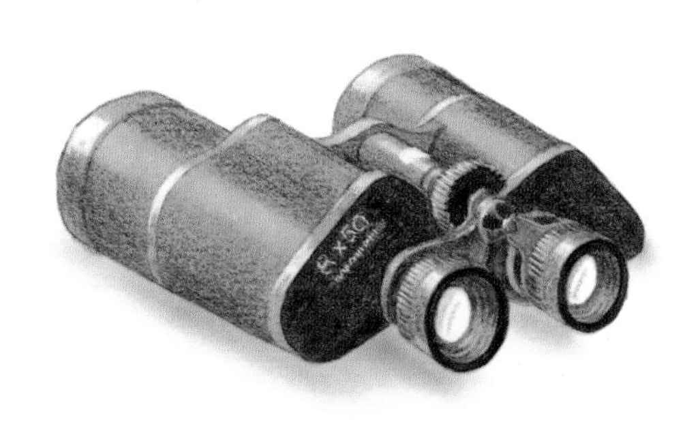

des jumelles

Quels sont les instruments qui possèdent des cordes avec lesquelles on peut faire de la musique ?

Quel instrument possède un clavier avec des touches blanches et noires ?

a violin

a bow

un archet un violon

an electric keyboard

un orgue électronique

a guitar

une guitare

a xylophone

un xylophone

Quels instruments font de la musique quand on souffle dedans ?

De quel outil se sert-on pour retourner la terre du jardin ?

a tambourine

un tambourin

a trumpet

une trompette

a flute

une flûte

a gardening fork

une bêche

Dans quoi transporte-t-on la terre du jardin ?

Quand l'herbe est haute, quel machine utilise-t-on pour la couper ?

a rake

un râteau

a lawn mower

une tondeuse

a wheelbarrow

une brouette

secateurs

un sécateur

Dans quoi transporte-t-on l'eau pour arroser les légumes ?

De quel outil se sert-on pour arracher les clous ?

a watering can

un arrosoir

a pair of pliers

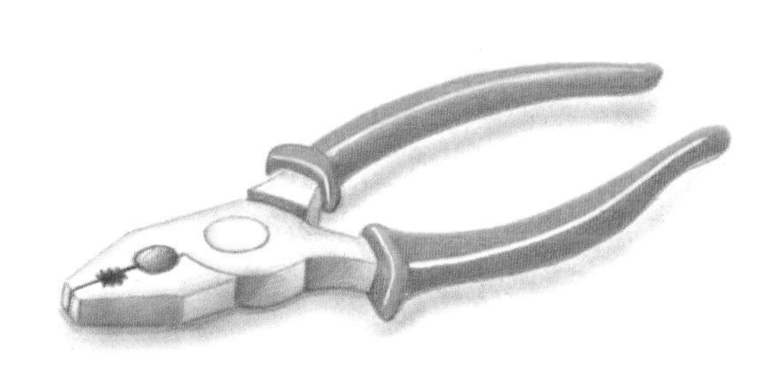

une pince

a hammer

un marteau

pincers

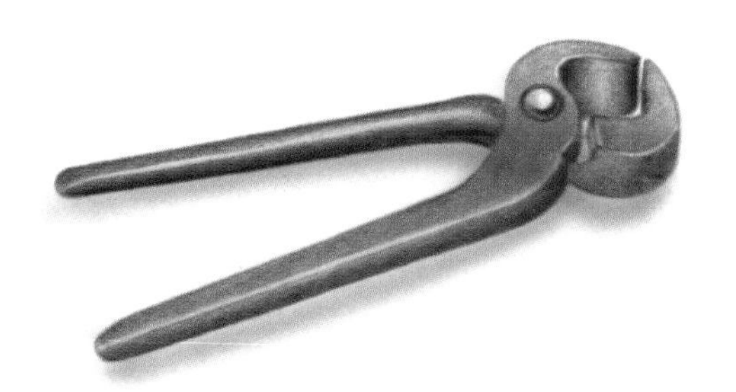

des tenailles

Qu'est-ce qui permet d'enfoncer les vis ?

Avec quelle machine électriqu
peut-on faire des trous dans le mur ?

a screwdriver

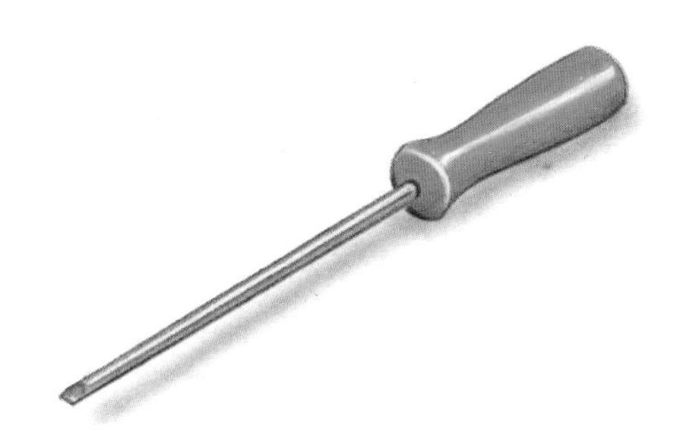

un tournevis

a nail

un clou

a screw

une vis

a nut

un écrou

a gimlet

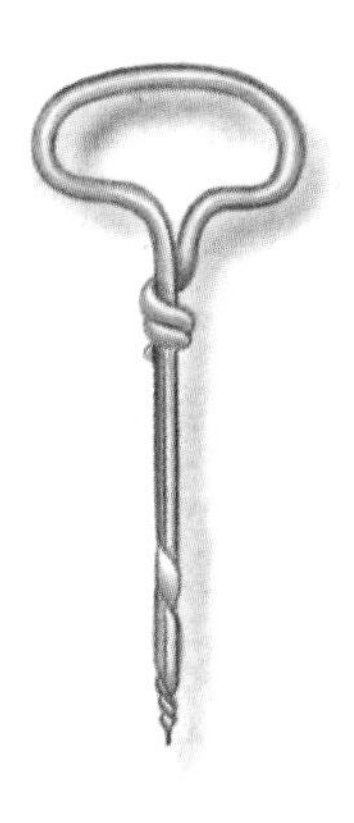

une vrille

an electric drill

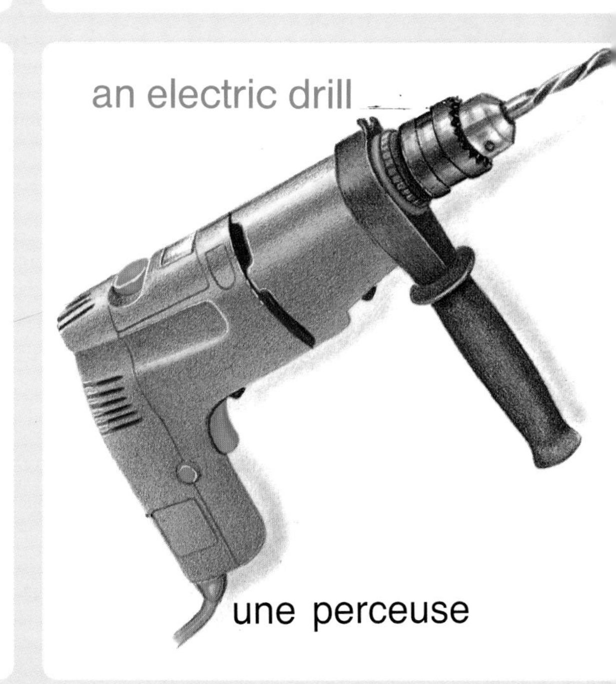

une perceuse

Avec quels outils peut-on couper du bois ?

De quoi se sert-on pour connaître la dimension d'un objet ?

a saw

une scie

a tape measure

un mètre-ruban

an axe

une hache

a spirit level

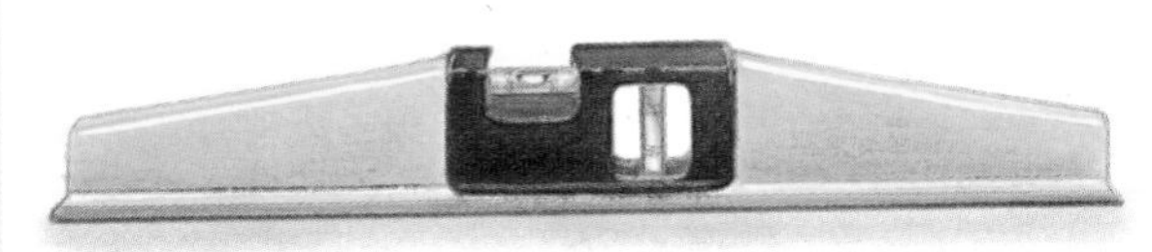

un niveau

Pour coudre un bouton sur un vêtement, que doit utiliser maman ?

Qu'est-ce qu'on utilise pour couper le papier ou le tissu ?

a reel of thread

une bobine de fil

a needle

une aiguille

une épingle de sûreté

a safety pin

a button

un bouton

a pair of scissors

une paire de ciseaux

a thimble

un dé à coudre

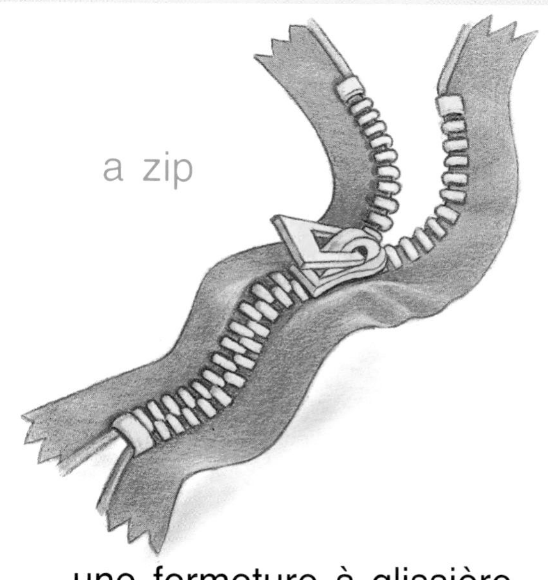

a zip

une fermeture à glissière

De quoi maman a-t-elle besoin pour faire un beau pull-over ?

De quelle couleur doit être le feu pour que l'on puisse traverser la route ?

une pelote de laine

a ball of wool

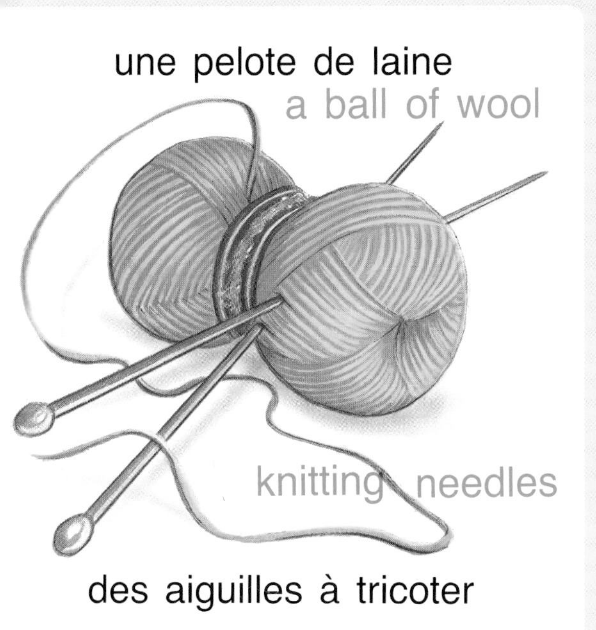

knitting needles

des aiguilles à tricoter

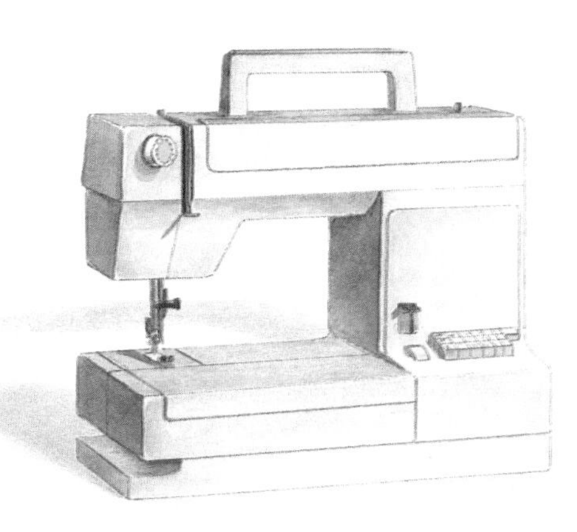

a sewing machine

une machine à coudre

tapestry

un canevas

traffic lights

un feu tricolore

Dans quel véhicule peut-on promener beaucoup de monde en même temps ?

Quel est le camion qui peut transporter de l'essence ?

a car

une voiture

a truck

un camion

a bus

un autocar

a tanker

un camion-citerne

Quand on est grand, sur quoi peut-on pédaler, après avoir appris sur un tricycle ?

Que doit-on mettre sur la tête lorsque l'on monte sur une moto ?

a bicycle

une bicyclette

a helmet

un casque

a motorbike

une moto

a moped

un vélomoteur

Avec quoi gonfle-t-on les pneus de la bicyclette ?

Avec quoi soulève-t-on ce qu est très lourd pour construire les immeubles ?

a bicycle pump

une pompe à vélo

a crane

une grue

a tyre

un pneu

a digger

une pelle mécanique

Avec quelle machine
l'agriculteur coupe-t-il le blé ?

Qu'est-ce que l'on peut
accrocher derrière la voiture
pour partir en vacances ?

a bulldozer

un bulldozer

a caravan

une caravane

a combine harvester

une moissonneuse-batteuse

a tractor

un tracteur

Qu'est-ce qui va très vite et qui roule sur des rails ?

Qu'est-ce qui vole très haut dans le ciel et qui emporte beaucoup de voyageurs ?

un train

un hélicoptère

un bateau

un avion

Dans quoi partent les hommes pour aller vers la Lune ?

Qu'est-ce qui brille dans le ciel quand il fait nuit ?

a rocket

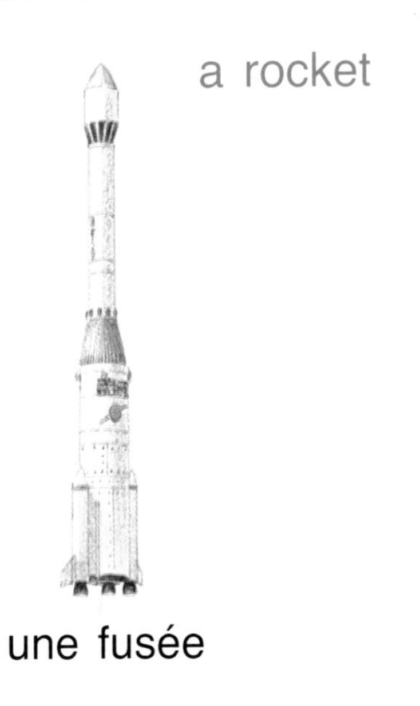

une fusée

the sun

le soleil

a space shuttle

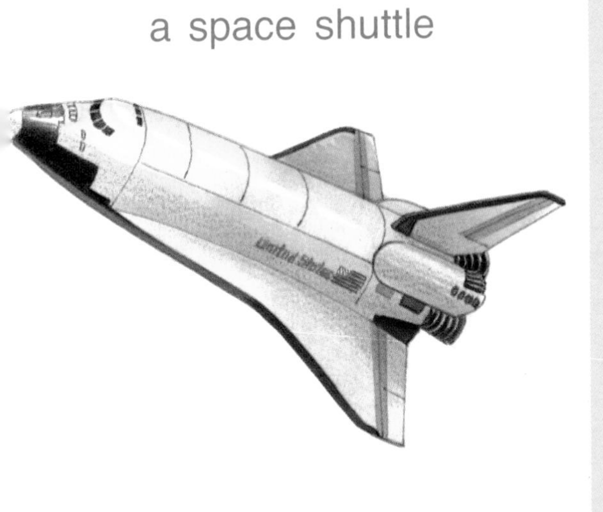

une navette spatiale

stars

des étoiles

the moon

la lune

BRUNO LE SOURD
VIT

Les transports

Amusons-nous à retrouver
le plus de choses possible

Après la pluie, quand le soleil revient, qu'est-ce qu'on peut voir dans le ciel ?

Qu'est-ce qui apparaît sur les branches des arbres quand le printemps revient ?

un arc-en-ciel

un arbre

un feu

une branche d'arbre

En automne, qu'est-ce qui se cache dans une coque très piquante ?

Qu'est-ce qui a le même nom qu'un fruit, mais qui ne se mange pas ?

des châtaignes

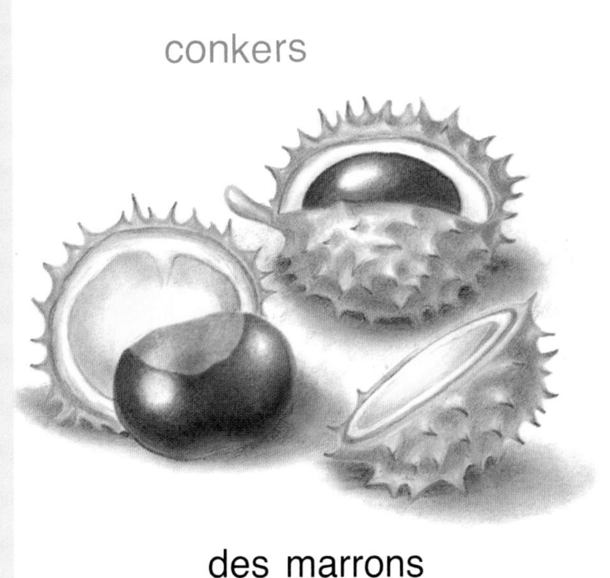

des marrons

une pomme de pin

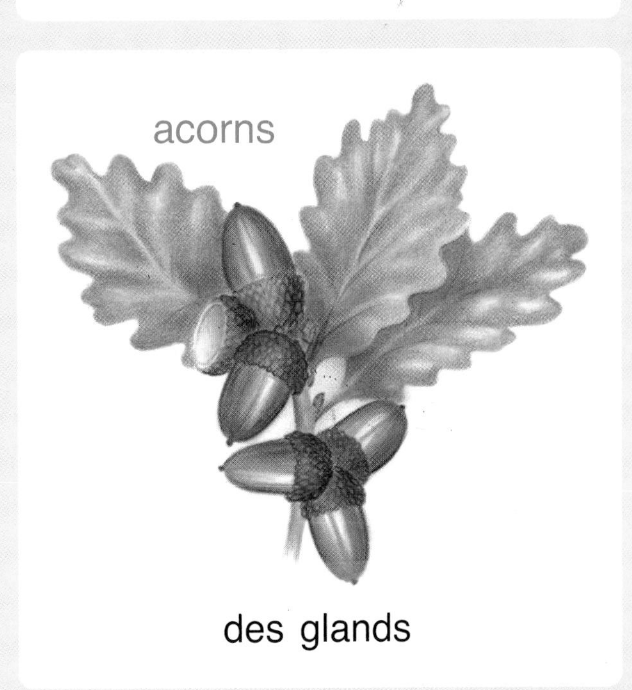

des glands

Qu'est-ce que l'on met souvent sur les tables à Noël et qui est très piquant ?

De quelle couleur est la fleur de la jonquille ?

a rose

une rose

a cornflower

un bleuet

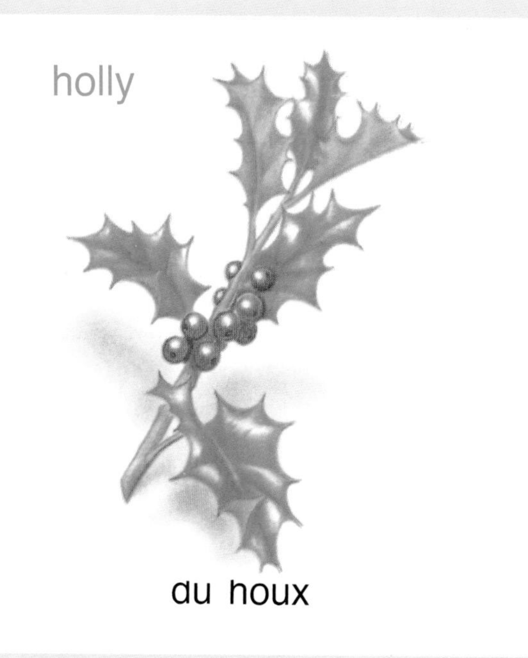

holly

du houx

a daffodil

une jonquille

Quelle est la fleur rouge que l'on trouve souvent au bord des routes en été ?

Avec quelle fleur joue-t-on à je t'aime... un peu... beaucoup...?

a poppy

un coquelicot

a daisy

une marguerite

a buttercup

un bouton d'or

a tulip

une tulipe

Quelles sont les fleurs que l'on achète souvent pour faire un beau balcon ?

Quelle est la première fleur qu[...] apparaît au printemps ?

un pétunia

un géranium

une primevère

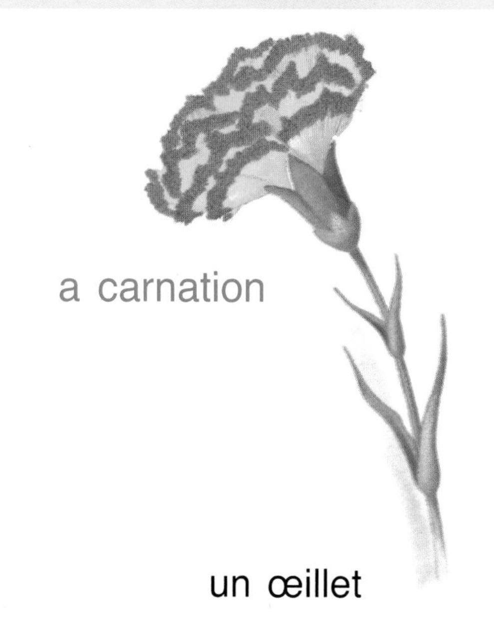

un œillet

Quelle est la couleur de la pensée ?

Quelle fleur trouve-t-on souvent au milieu du gazon ?

an anemone

une anémone

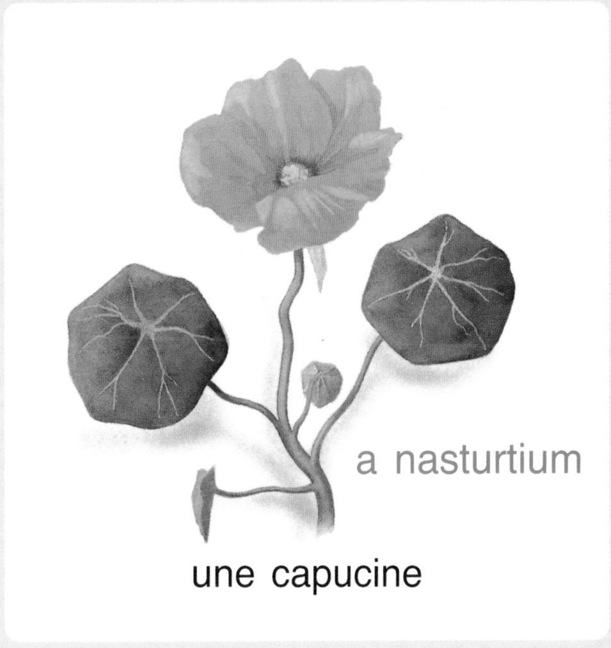

a nasturtium

une capucine

a pansy

une pensée

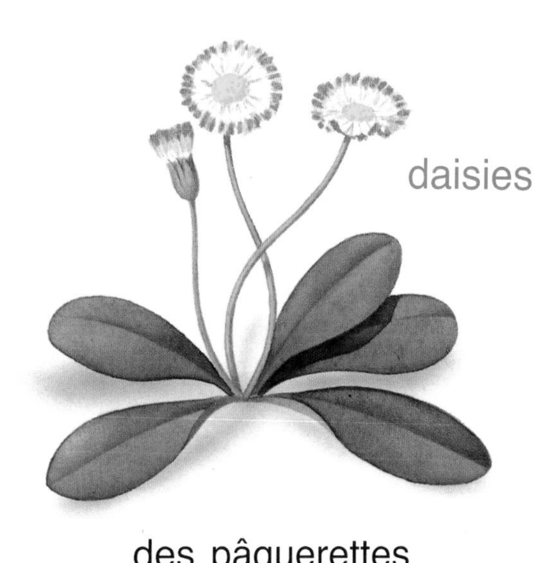

daisies

des pâquerettes

Quelle est la fleur qui porte bonheur et que l'on offre au 1er Mai ?

Quelle est la fleur jaune qui fleurit en hiver ?

des violettes

une branche de mimosa

un brin de muguet

une jacinthe

Quelle est la plante qui est recouverte de piquants et qui n'a pas besoin d'eau ?

Quel est l'oiseau qui est souvent sur un perchoir et qui parle beaucoup ?

an iris

un iris

a thistle

un chardon

a cactus

un cactus

a parrot

un perroquet

Quel est l'oiseau qui chante dès le lever du soleil ?

Quel oiseau fait souvent son nid sous les toits ?

a crow

un corbeau

a sparrow

un moineau

a blackbird

un merle

a swallow

une hirondelle

De quel oiseau dit-on qu'il est bavard ?

Quel est l'oiseau qui a une belle tache rouge sous le bec ?

une pie

un rouge-gorge

une mouette

un pigeon

Quel est l'oiseau qui dort le jour et se réveille la nuit ?

Quel est l'animal qui n'a pas de pattes pour se déplacer ?

un aigle

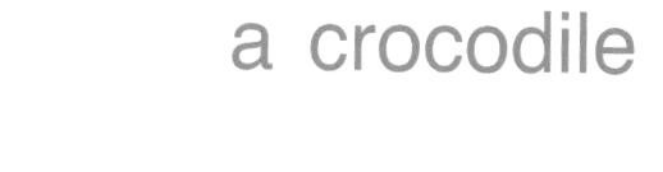

un crocodile

un hibou

un serpent

Quelle différence y a-t-il entre un chameau et un dromadaire ?

Quel animal adore manger du miel et des poissons ?

a camel

un chameau

un ours

un panda

un dromadaire

Quel est l'animal qui adore faire des grimaces ?

Quel animal appelle-t-on le roi de la forêt ?

a panther

une panthère

a lion

un lion

a tiger

un tigre

a monkey

un singe

Quel animal a quatre pattes et un très long cou ?

Quel est le plus lourd des animaux, qui a quatre pattes et de grandes défenses blanches ?

a giraffe

une girafe

an elephant

un éléphant

a hippopotamus

un hippopotame

a rhinoceros

un rhinocéros

Quel animal possède une poche sur le ventre pour transporter son bébé ?

Quel est l'animal qui ressembl[e] à un cheval en pyjama à rayures ?

a kangaroo

un kangourou

a gazelle

une gazelle

a zebra

un zèbre

an ostrich

une autruche

Quel est le gros poisson très gentil que l'on voit souvent jouer avec des ballons ?

Quel est l'animal qui vit dans l'eau et qui est plus gros et plus lourd qu'un camion ?

a penguin

un pingouin

a whale

une baleine

a dolphin

un dauphin

a seal

un phoque

Quels sont les animaux qui ont des pinces au bout des pattes et qui se déplacent au fond de l'eau ?

Que peut-on pêcher avec une épuisette au bord de la mer ?

a lobster

un homard

a shrimp

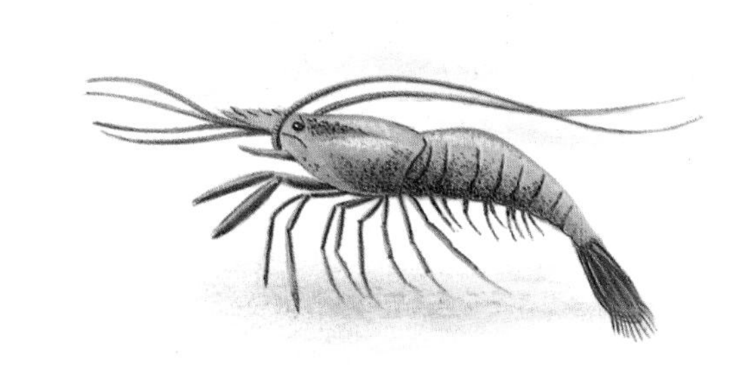

une crevette

a crab

un crabe

a swan

un cygne

Quel oiseau fait son nid sur
le haut des cheminées,
en Alsace ?

Quel est l'animal qui fait
des barrages sur la rivière ?

a stork

une cigogne

a beaver

un castor

a frog

une grenouille

a guinea pig

un cobaye (cochon d'Inde)

Quel est l'animal qui adore grignoter le gruyère et le pain ?

Quel animal adore sortir sous la pluie et porte une coquille sur son dos ?

a mouse

une souris

a snail

un escargot

a slug

une limace

a tortoise

une tortue

Quel animal adore se chauffer au soleil sur de vieilles pierres ?

Quel animal appelle-t-on aussi « bête à bon Dieu » et que l'on peut apercevoir surtout en été ?

an earth worm

un ver de terre

a grasshopper

une sauterelle

a lizard

un lézard

a ladybird

une coccinelle

Quel est l'animal qui, avant de voler et de devenir grand, est une chenille ?

Quel est l'insecte qui fait du bruit en volant et qui pique souvent ?

an ant

une fourmi

a fly

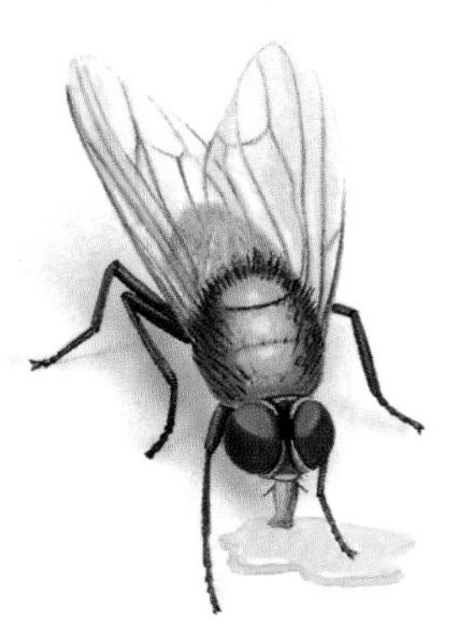

une mouche

a butterfly

un papillon

a mosquito

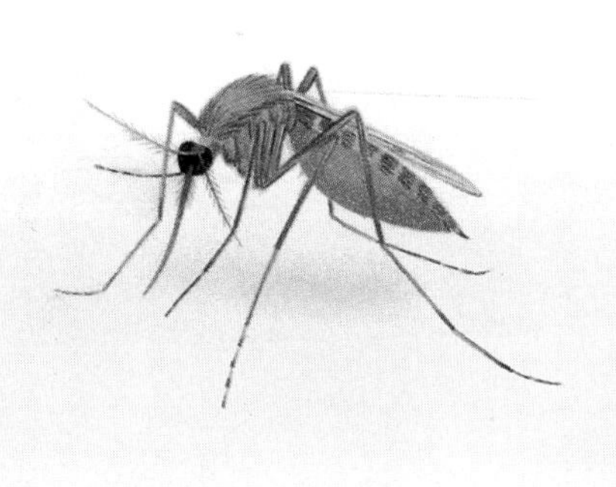

un moustique

Quel est l'insecte qui habite dans une ruche et qui donne du miel ?

Quel insecte tisse une toile pour attraper d'autres insectes afin de les manger ?

a wasp

une guêpe

a spider

une araignée

a beehive

une ruche

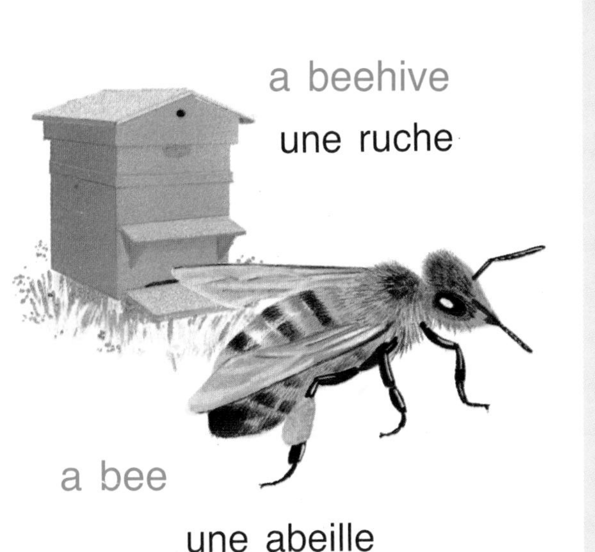

a bee

une abeille

a dragonfly

une libellule

Quel animal se transforme en un beau papillon quand il devient grand ?

Quel animal adore manger des noisettes ?

a caterpillar

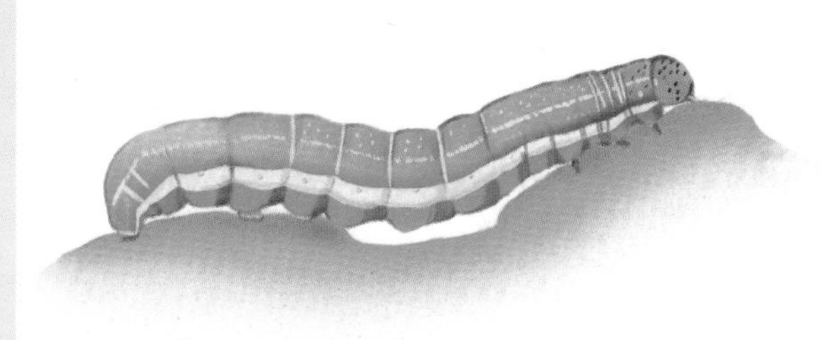

une chenille

a squirrel

un écureuil

a hare

un lièvre

a hedgehog

un hérisson

Comment s'appellent les parents du petit faon ?

De quel animal dit-on qu'il est très rusé ?

un faon

a doe

une biche

a stag

un cerf

a fox

un renard

Quel est l'animal qui ressemble à un chien, mais qui vit dans la forêt et qui fait « hou » ?

Quel est l'animal qui dort dans une niche et qui adore manger les os ?

un chat

De quel animal dit-on qu'il est têtu et sur le dos duquel on peut se promener ?

Quels sont les animaux qui aiment bien barboter dans la mare ?

a donkey

un âne

a duck

une cane

a duckling

un caneton

a rabbit

un lapin

a drake

un canard

Quel est le petit de la poule et du coq ?

Quel animal chante tôt le matin et réveille la ferme ?

a goose

une oie

a hen

a chick

une poule

un poussin

a turkey

un dindon

a cock

un coq

Quels sont les animaux qui donnent du lait ?

Quel animal est recouvert d'une belle peau rose, mais que l'on voit souvent recouvert de boue ?

a goat

une chèvre

a cow

une vache

un veau

a calf

a pig

un cochon

a bull

un taureau

Grâce à quel animal peut-on avoir de bons gros pulls en laine ?

a sheep

un mouton

a lamb

un agneau

un cheval

a horse

a foal

un poulain

CLASSEMENT PAR THÈMES

DES MOTS MIS EN SCÈNE

LISTE ALPHABÉTIQUE

Dépôt légal : août 1991

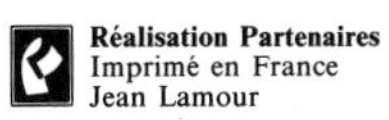
Réalisation Partenaires
Imprimé en France
Jean Lamour

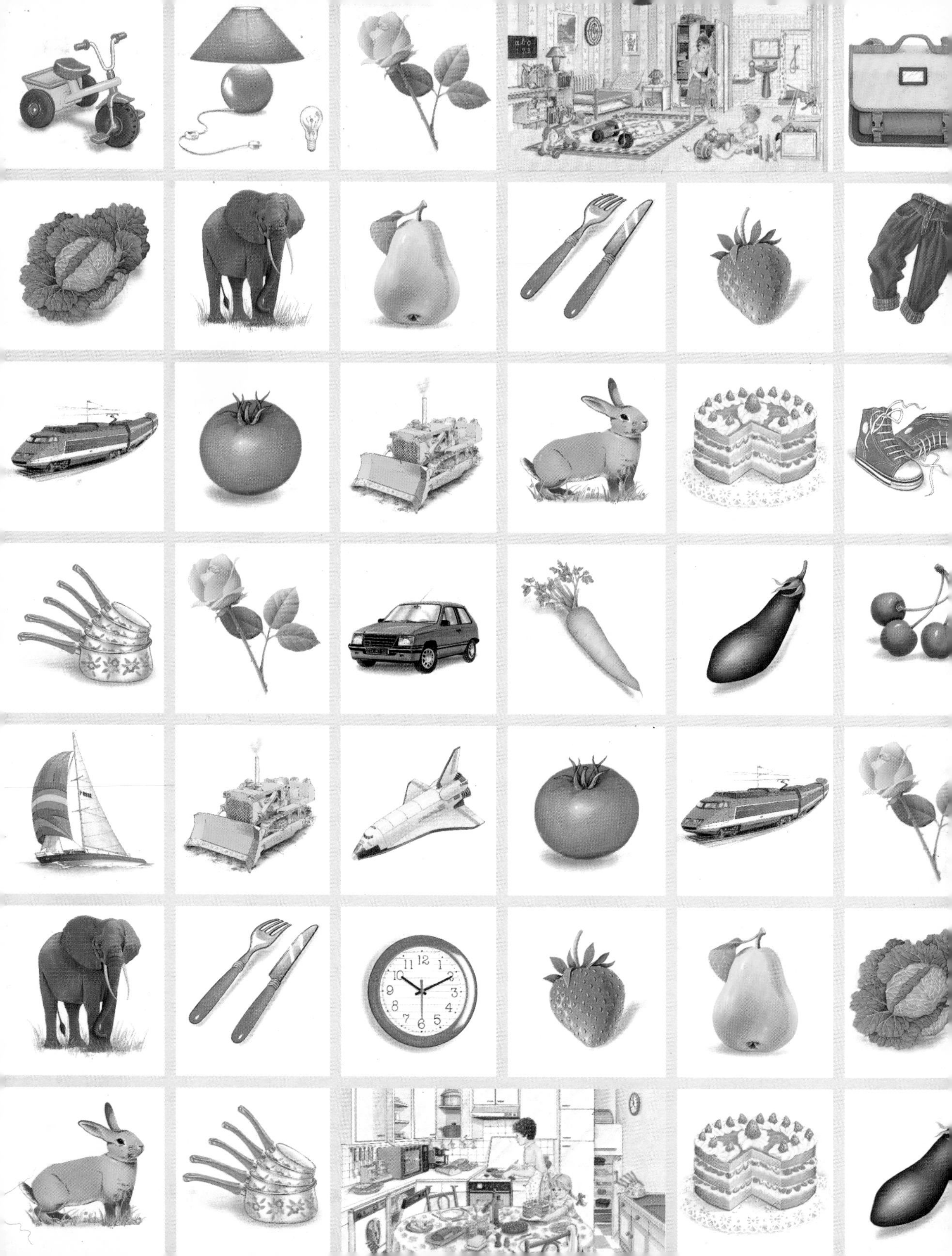